跆拳道教本

1

跆拳道的理解

国技院
世界跆拳道本部

卷首语

国技院自1972年创立,迄今已逾50载。半个世纪以来,国技院积极承担世界跆拳道总部的职责,得到了全球跆拳道师范们的大力支持与帮助。

跆拳道对修炼者的身心健康与自我防卫能力有着显著的促进作用,凭借着国技院与跆拳道师范的积极推动,跆拳道已成为全球最受欢迎的武艺之一。

为了更进一步推广跆拳道,国技院将不断进行创新与改革,其中包括修订《跆拳道教材》。

该教材最初由大韩跆拳道协会于1972年出版,国技院在1987年和2005年分别进行了修订和增补,而此次的修订则是为了庆祝建院50周年。

《跆拳道教材》是跆拳道师范、修炼者、研究人员和管理者的必读书目。其中包含丰富的理论和术语,还包括品势、实战、击破和示范等基本和实用技术,是跆拳道标准规范的圣经级读物。以往几版教材均以单卷出版,而这次修订首次以五卷套装的形式出版,内容更为详实。

跆拳道日益完善的发展历程从《跆拳道教材》的几次修订可见一斑,每次修订都会充分吸收以往研究和理论思辩中最为精华的成果。未来国技院将继续改进教材,使其符合时代发展和跆拳道技术的进步,为跆拳道修炼者还原跆拳道历史面貌,打造一个自由表达、互相学习、开放进步的文化氛围。希望这本修订后的《跆拳道教材》能够成为跆拳道爱好者修炼并与国技院沟通交流的重要参考资料。

国技院院长
李銅燮

推荐语

尊敬的全球跆拳道修炼者：

值此国技院建院50周年之际，《跆拳道教材》顺利问世，实属可喜！

跆拳道是韩国赠予世界的礼物。50年来，国技院一直担当关键角色，在全球推广普及跆拳道方面贡献良多。

疫情阴霾刚刚消散，国技院50周年纪念版《跆拳道教材》及时问世，恰逢其时。

尽管跆拳道有着同根而生之源，但在全球范围内，跆拳道已经形成了多种不同的流派。我们欣然接受这种多样性，因为跆拳道凝聚人心的关键在于宽容、尊重、廉耻、忍耐、克服自我等价值观，以及对人生百折不屈的精神。

世界跆拳道和国技院也是技出同门。过去20年中，世界跆拳道提升了跆拳道的国际地位，将其发展成为一项公正、富有活力且备受尊重的奥运会和残奥会比赛项目。我们期待新生代跆拳道明星能将跆拳道运动推向新的高峰，而在此方面，《跆拳道教材》无疑将在未来几年中发挥重要作用。

我衷心希望国技院的《跆拳道教材》能成为全球所有等级跆拳道修炼者的标准技术手册。

代表世界跆拳道大家庭，我再次向国技院出版《跆拳道教材》表示最诚挚的祝贺。

世界跆拳道主席

赵正源

推荐语

大韩跆拳道协会

《跆拳道教材》的出版,是国技院和跆拳道大家庭的一大盛事。

这是一本非常重要的参考书,为跆拳道师范生、研究人员和各种比赛和竞赛的参与者提供了有关跆拳道各项技术标准和知识的重要来源。

第一本官方的跆拳道教材名为《跆拳道教材: 品势篇》,由大韩跆拳道协会编辑,1972年由大韩跆拳道协会技术审查委员会的李钟宇领导的技术审查组编写。后来, 编纂工作转移到了国技院,1987年国技院出版了《跆拳道教材》,2005年又出版了修订版。

现在, 官方的《跆拳道教材》已经迎来第四版。每一次修订都是当时跆拳道领域最高水准的体现,对于过去一段时期跆拳道技术变化和发展的总结, 以及对相关指导和研究成果的解释和理论重建。为了这次修订, 组建了一支学术实力更强的编写团队,并对教材的内容组织进行了大幅调整, 以适应时代的发展。

这些编者不辞辛劳, 为教材付出了大量心血, 开展了大量的研究和讨论, 为跆拳道新技术和理论的建立作出了巨大的贡献。在此,我想对其表达感激和鼓励之情。

跆拳道不断变化和发展, 期待新教材能成为定海神针, 在教育、研究和比赛等领域广泛应用。期待跆拳道教材未来能够不断创新, 以适应新时代和跆拳道全球化发展的需求。

大韩跆拳道协会会长

楊鎭芳

目录

第一卷
跆拳道的理解

第一章
跆拳道的意义

1 跆拳道的定义

跆拳道是一种武艺运动, 主要通过修炼徒手防御和攻击技术, 尤其注重于踢击, 进行护身和实现自我。该定义涵盖了跆拳道的四个关键要素: 目的、技术、修炼以及自我认知的武艺运动。

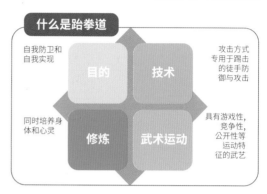

什么是跆拳道

自我防卫和自我实现 ── **目的**

技术 ── 攻击方式专用于踢击的徒手防御与攻击

同时培养身体和心灵 ── **修炼**

武术运动 ── 具有游戏性, 竞争性, 公开性等运动特征的武艺

跆拳道定义中的四个关键要素

1 ── 目的

跆拳道本质上属于武艺。学习武艺的首要原因是为了防御潜在的攻击。跆拳道修炼的目的, 最基本的是自我保护(护身), 随着级别的提高, 逐渐拓展至实现个人潜力, 即自我实现。因此, 跆拳道修炼目的旨包括护身和自我实现。

(1) 护身

护身是跆拳道的基本目的。护身的含义是 "保护自己的身体"。换言之, 保护自己的生命免受敌对环境或敌人的侵害, 这是生物的本能。在这个意义上, 护身可以说是所有生物的重要本能。

对生物而言, 最重要的护身手段便是与生俱来的身体。老虎拥有锋利的牙齿, 熊有强壮的爪子, 犀牛有坚硬的角。它们以此来保护自己的生命。由此可见, 生物天生就具备了用于自我保护的身体部位。然而, 人类的情况有点复杂。人类无法仅凭自然赋予的身体来保护自己免受威胁。

人类创造了工具和武器作为身体部位的替代品以保护自己, 并通过群体协作, 以数量上的优势弥补身体能力的不足。武艺源于人类开发护身术的过程。同时, 武艺也被用于战争、集体战斗以及日常生活中的护身。在现代社会, 国家负责公共安全, 个人持有武器非法, 跆拳道等徒手武艺便成了一种简单而有效的护身术。

通过跆拳道的修炼发展自我防御能力的过程, 也是发展自身实力并进行自我改变的过程。为了保护自己免受不公正的暴力对待, 必须培养身体和精神力量。缺乏勇气或沉着等精神力量时, 身体力量无法充分发挥。同时, 发展力量涉及到改变自己, 因为所有力量都源于自身。跆拳道修炼使个体能够增强自己的力量, 成为更强大的存在, 并在紧急情况下利用这种力量进行自我保护。

(2) 自我实现

自我实现是跆拳道修炼的另一个目的: 即充分发挥个体潜能。例如, 当一颗橡子掉落在地上, 发芽并长成一棵躯干巨大、枝叶繁茂的橡树时, 这颗橡子便实现了自己的潜能, 或者说它达到了自我实现。

要实现自我, 个体首先需要发现自己的潜能。然而, 发现潜能并找到实现潜能的动力必须来源于个体本身。在自我实现过程中, 父母和师范最多只能担任支持角色, 例如提供发现潜能的机会, 为潜能的展现创造良好环境。关键在于个体是否能认定一个可能性并付出努力去实现它。

在自我实现的过程中, 个体可能与他人产生冲突或使他人作出牺牲。人类是社会性生物, 需要与他人共同生活。共同生活意味着有时候需要互相帮助、互相竞争和互相斗争。在自我实现的过程中, 当自己的利益与他人利益发生冲突时, 大多数人会优先考虑自己的利益。因此, 自我实现可能涉及到与他人的冲突, 甚至迫使他人作出牺牲, 从而导致许多不愉快的后果。

在自我实现的过程中出现的问题, 往往源于狭隘的自我认知。克己是跆拳道精神的一个重要组成部分, 是在心理层面上化解这些问题的基本原则。克己涵盖了 "战胜自己"、"克服自己" 和 "突破自己" 的意义。在跆拳道中, 克己主要指战胜和克服修炼过程中遇到的身体疼痛和心理障碍。同时, 它也意味着克服自身的局限性, 成就一个更卓越的自我。

在跆拳道中, 克己是一个克服痛苦和障碍的过程, 同时也是一个不断扩展, 以实现更卓越自我的过程。为了成为更卓越的存在, 人们必须超越自己的极限。然而, 克服自身极限的过程总是伴随着剧痛。在跆拳道修炼中, 挑战极限屡见不鲜, 目的是让人们变得更强壮、更迅速、更灵活, 要求修修炼者敢地面对极限并毫不畏惧痛苦地挑战这些极限。

当人们超越自己的界限时, 就超越了过去的自我, 成为更卓越的存在。换句话说, 通过克己, 人们从有限的存在发展成为更卓越的存在。通过将自我实现的范围从个人扩展到所有人, 自我实现的目标也会发生改变。个人的追求成为了社群的追求, 同时社群的追求也变成了所有人的追求。

在初学者阶段, 跆拳道修炼者最想要的是培养保护自己的能力。

随着个人修炼水平的提高, 每个人都会将自己的关注范围从自身拓展到社群和他人。在这个过程中, 需要保护的对象也从自己扩大到社群, 最终扩大到所有人。在这个阶段, 护身意味着积极努力阻止暴力的发生, 而不仅仅是被动地保护自己免受暴力侵害。

自我实现也是跆拳道修炼的一项目的。通过 "克己" 的概念, 个体将自我拓展至与他人的联系, 从简单的以护身为目标逐渐扩展至保护社群, 然后进一步扩展至通过共存与和平来保护整个社会和国家。

总之, 跆拳道是一项以护身和自我实现为目旨的活动。"克己" 和 "弘益" 是跆拳道精神的关键因素, 而护身和自我实现则是这两个关键因素在实际跆拳道修炼过程中的体现。

护身、克服自我、自我实现和弘益 (人道主义) 之间的关系

跆拳道修炼的目的之一是护身, 这需要锻炼力量, 而 "克己" 则是锻炼力量的关键因素。然而, "克己" 不仅仅是锻炼力量, 它还有助于拓展自我。通过 "克己", 个体从 "孤立的存在" 拓展到 "社群成员", 并进一步拓展到 "与众人为一"。自我拓展是自我实现的过程, 也是扩大个人可能性的过程。因此, 广义上来说, 护身是弘益 (即造福人类) 的途径。对于与众人为一的个体来说, 护身意味着保护所有人, 从而造福人类。

2 __ 技术

跆拳道包含"徒手防御和攻击技术，尤其专注于踢击"。跆拳道技术有五个特点，这些特点使其与其他武艺技术有所区别。

(1) 防御和攻击技术

跆拳道主要目的在于护身，它是防御和攻击技术的结合。在此，将"防御"放在"攻击"之前，是为了强调跆拳道的非暴力和平性质。跆拳道不是用于对他人施加暴力的攻击技术，而是用来保护自己免受不公平攻击的防御技术，这是一种最终旨在造福世界的技术。尽管跆拳道包含一些攻击动作，但它们从根本上说是防御技术，因为它们不是用来主动进攻，而是在被动防御本身无法充分控制对手攻击时使用。

(2) 徒手技术

I在现代社会，人们通常不随身携带武器。徒手武艺在防范不可预知的暴力事件方面具有特殊的重要性，因为无需武器就可以保护自己。跆拳道被归类为"徒手"武艺，因为它原则上不使用武器，而是依靠徒手技术进行对抗。

当然，如果未来针对性地引入武器使用并确立为跆拳道的一项技术，那么跆拳道定义中的"徒手"一词也可进行修改或。然而，在目前阶段，很难说武器使用已经成为跆拳道修炼的一部分。截至目前，已经确立的跆拳道技术，如基本技术、品势、实战和击破，仍然属于徒手技术范畴。

(3) 保持距离较量的技术

跆拳道是一种保持距离进行较量的技术。徒手武艺大致氛围手搏类与摔跤类。手搏类式指的是诸如手搏、拳搏和拳击格斗武艺，对手们在保持一定距离的情况下进行格斗。摔跤类斗式则涵盖摔跤、柔道等较量武艺，对手们紧密接触并互相扭打。基于这种武艺分类，跆拳保持距离进行较量的技术式武艺，因为它采用的是远程格斗方式。跆拳道是一种"远程格斗"的武艺，这一点可以从它"踢击为主"的表述中体现出来。要能够踢到对手，双方之间需要保持一定的距离。然而，跆拳道中也包含一些护身术，用于在近距离或被对手抓住时进行反击和制服对手，与抓、关节技和摔法相似的撂倒（摔法）等近战技术。

(4) 特化于踢击的技术

跆拳道是一种特化于踢击的技术。保持距离进行较量的格斗武艺可以区分为特化于手技术的武艺和特化于脚技术的武艺。空手道和拳击是专注于手技术的武艺，而跆跟和跆拳道则专注于脚技术，尤其是踢击。专注于踢击的技术是韩国徒手武艺的独有特点，其根源可以追溯到韩国历史上的高句丽武艺壁画到朝鲜王朝后期的跆跟。当日本和中国的武艺如唐手道、空手道道和拳法在解放前后传入时，以"手"和"拳"为特点的专注于手法的武艺影响了踢击法为核心的韩国武艺文化，并逐渐融入了专注踢击打的跆拳道。

(5) 击打方式的踢腿技术

不仅跆拳道, 跆跟也是特化于踢击的技术。在崔永年的《海东竹枝》中, 跆跟技术主要是踢击, 初学者踢对手的大腿, 中级者踢肩膀, 高级者使用飞踢技术踢发髻。跆拳道通过采用强力、快速的踢击风格, 成为一种强大且实用的格斗技术。

如上所述, 在技术方面, 与其他武艺不同, 跆拳道的特点在于以 "防御" 为主要目标, 具有 "无武器" 较量, "保持距离较量" "攻击方式" "特化于踢击" 的技术特征打"。

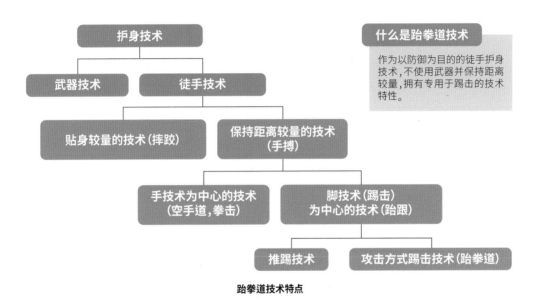

跆拳道技术特点

3 — 修炼

坚持锻炼跆拳道技术的行为被称为 "修炼"。修炼与训练不同。训练是通过反复练习, 使身体达到一定的条件, 以执行一项技术的活动, 而修炼旨在通过同时改变身体和心灵, 进而提高一个人的素质。

(1) 意义

锻炼跆拳道技术的行为被称为修炼, 因为它不仅旨在改变身体, 还旨在改变心灵, 提高修炼者的人格素质。修炼是寻求同时改变身体和心灵的活动, 这是韩语修炼一词所表达的意义。其中修指清洗, 而炼指擦亮, 合并在一起指清洁明亮。因此, 对于跆拳道而言, 修炼指 "擦掉动作上的杂乱, 不断精进动作水平"。然而, 这种锻炼的目的不仅仅是为了用身体炫技。它的最终目标是成为一个更优秀的人。

修炼一词最初源于道教, 与儒家的修养或佛教的修行意义相近。三者之间虽然也有差异, 但它们都属于东方信仰和宗教中的概念, 本质上都是指锻炼身体以提升精神境界, 从而使修炼者成为更好的人。在儒家学说中, 修养的目的是通过学习古代圣贤的言论而成为圣人。在佛教中, 修行的目的是通过觉悟达到涅槃 (成佛) 的境界。

道教中修炼的目的则通晓道法而成为道士。因此, 修炼是一种旨在通过同时培养身体和心灵, 使人具备理想人格的活动。跆拳道通过反复修炼技术, 改变身体和心灵, 进行提升精神境界。归根到底, 它与道教、儒家和佛教的修炼活动没有太大的不同, 其目的都是培养能广泛造福世界的人。

(2) 跆拳道修炼

一个长时间反复修炼跆拳道技术的人, 在身体和心灵上都会发生显著的变化。身体上的变化表现在形态和功能上。换句话说, 通过持续修炼跆拳道技术, 修炼者的身体形态和功能都会发生变化。反复修炼跆拳道技术还会改变修炼者的心灵。例如, 持续修炼跆拳道品势的人会培养出沉着、忍耐和合作等心理倾向; 而反复修炼跆拳道实战技术的人会培养出专注、果断和勇气等心理取向。这些心理倾向是在修炼跆拳道技术的过程中伴随着身体变化而培养出来的。

通过反复修炼跆拳道技术而改变的身体形态、增强的身体功能和培养的心理倾向, 都与力量有关。身体形态的变化和功能的提高与身体力量有关, 心理取向的改善则与心灵力量有关。用这些力量行善或是行恶, 取决于使用者的意图。因此, 需要规范这些力量的使用, 确保其能够用于行善。

或者说, 需要另一种力量来控制身体和心灵的力量。不过, 这种力量与心理取向不同。像忍耐、专注和判断力这样的力量属于心理倾向的领域, 而正义感、乐于奉献、包容、关爱和志愿精神等力量则属于另一个领域。前者主要是心理学的研究对象, 后者则是哲学和宗教感兴趣的主题。偏向哲学和宗教的力量称为道德取向的力量。

在修炼跆拳道技术时, 无需特别措施便能够培养出心理取向的力量。然而, 道德取向的力量并非如此。跆拳道师范应该以身作则, 培养修炼者的道德取向力量。跆拳道师范的言行举止, 如眼神、言谈语调、声音、穿着、面部表情、态度、习惯和魅力, 直接或间接地对教学过程产生影响, 从而将这些特定的品质传递给跆拳道修炼者。

如上所述, 跆拳道修炼是一种全面的教育活动, 旨在改变修炼者的身体和心灵, 培养更优秀的人。

4 ＿ 武艺运动

跆拳道是一项武艺运动。武艺是又斗技发展而来的身体文化, 而运动是源于游会的身体文化。

传统社会中武艺在枪炮类器出现后面临危机, 经过现代化的洗礼, 它转变为像运动一样的竞技性娱乐活动。武艺运动指那些已转变为运动的武艺。

(1) 武艺与运动的区别

运动主要起源于娱乐性活动。运动一词来源于中古英语,意为"在工作之余玩耍",与现代竞技运动不同,它指的是具有浓厚娱乐性质的各种活动。钓鱼、狩猎、饮酒和跳舞等户外活动属于这一类别。运动的主要目的是玩耍,而在其发展过程中,加入了诸如体育精神等道德目标。然而,武艺的起源在于战斗,即为了生存而战。在没有发展出武器的原始社会,无论种族如何,为了生存和种族繁衍而觅食以及抵御外敌,根据本能需求发展出的战斗技术,经过文明过程,被系统化为武艺。

(2) 武艺

武艺是区分武术与武道概念。从概念上讲,"术"表示追求实用价值的技术,"艺"表示追求美学价值的艺术,"道"表示追求道德和宗教价值的哲学。因此,武术、武艺和武道分别对应于术、艺和道的层次,按照系统化分类,其价值分为低、中、高三等。术、艺和道的分类经过引申,也可表示人类成熟程度的价值层次。然而,这样的分类并无明确标准。东北亚的文化历史表明,这三个概念是同一现象的不同表达。

在中国,武艺主要与术或法的概念结合使用。诸如武艺、拳法和枪法(矛技)之类的术语很好地表明了这种倾向。在日本,武艺或其他战斗活动主要与道的概念结合使用。剑道、柔道、弓道(射箭)、合气道和空手道等词汇很好地展示了这一趋势。在韩国,武艺主要与艺有关。朝鲜王朝时期出版的大部分军事书籍都将武艺称为武艺。武艺提要、武艺新编、武艺图谱通志和武艺二十四技等图书表明韩国人认为武艺是一种艺术。

综上所述,武术、武艺和武道是指同一现象的不同术语。尽管韩国、中国和日本属于同一个汉字文化圈,但三国文化差异导致表达同一现象的词语不同,即武术、武艺和武道。直到20世纪,这三个概念才被纳入一个基于价值的等级分类。

(3) 武艺运动

传统的武艺作为战斗技术,在现代化的过程中发生了重大变化。随着现代武器如枪炮的出现,武艺作为战斗技术失去了它们的意义。

韩国的武艺,在重视艺术欣赏、休闲以及新风文化的独特环境中,已经转变为具有竞技性和娱乐性的活动,为参与者和观众带来乐趣和享受。

韩国武艺在现代化过程中的竞技性和娱乐性,已经在朝鲜王朝末期画家刘淑的画作《大快图》中得到了很好的体现。这幅画展示了在众多观众面前,两名年轻人徒手搏击的场面。这个场景清楚地表明,韩国现代武艺在为人们提供娱乐方面与现代运动非常相似。

现代运动被定义为"在制度化规则控制下的具有竞技性的休闲活动,其中体能是决定比赛结果的重要因素",此外,还可以添加"开放性"这一特点。现代运动在公共场所举行,任何人都可以观看。

《大快图》表明，现代韩国武艺在公共场所展示，且观众众多，具有娱乐功能，能够让参与者和观众感到兴奋和欢乐。此外，据《高丽游戏》记载，武艺是两个对手之间的竞技基于制度化规则确定胜负。而且，以下史料也证实体能是这些竞技中决定胜负的重要因素。《海东竹枝》描述了一种名为"踢肩"的武艺意为用脚踢大腿、肩膀和发髻，强调这是一项以技术为主的游戏。

在20世纪中叶现代跆拳道形成过程中，韩国现代武艺的运动特性得到进一步强调。如今，跆拳道已成为深受全球人民喜爱的奥运会项目。跆拳道能够成为奥运会项目，背后的重要原因是跆拳道完美融合了韩国武艺重视艺术和休闲的特点、新风文化的内涵以及现代运动竞技性娱乐的本质。武艺在韩国传统武艺现代

刘淑的《大快图》

化过程中开始转变为格斗运动，而现代跆拳道则成功地实现了这一转变。从这个意义上说，跆拳道被认为是一种武艺运动，具有开放、娱乐、竞技、制度化规则和卓越体能等几方面的特点。

2 跆拳道的领域

跆拳道是一种文化。所有文化都包括三个领域: 理想人格的形象、达到理想人格的变化途径以及通过这些途径催生此等变化的活动。就跆拳道而言, 这三个领域分别是跆拳道精神、跆拳道技术和跆拳道修炼。跆拳道精神与跆拳道修炼者追求的理想人格形象息息相关。跆拳道技术是能够促使修炼者变化的手段, 而跆拳道修炼则是利用跆拳道技术来催生此等变化的活动。

**跆拳道精神、
技术和修炼为一体**

1 — 跆拳道精神

跆拳道精神与跆拳道修炼者通过跆拳道修炼所追求成为的追求人格形象相关。它以规范性概念的形式展示了跆拳道追求的理想人格形象。

(1) 意义

跆拳道修炼主要是通过反复练习技术来锻炼身心力量的活动。通过跆拳道修炼培养的身心力量可以用于行善, 但也可能被用于行恶。因此, 需要提供一定的指导方针, 以确保这种力量的正当用途, 避免滥用。跆拳道精神就是起到这种指导作用的规范。跆拳道师范在教授技术前后, 都必须弘扬跆拳道精神, 让每个人都认识到跆拳道精神的重要性, 使它深入人心。此外, 跆拳道修炼者应将跆拳道精神作为生活中的指导原则, 避免滥用自己的力量, 只将其用于保护自己或造福世界。

跆拳道精神也是各项跆拳道相关工作的指导原则。如今, 随着跆拳道的全球化发展, 为有效地管理世界各地的跆拳道修炼者, 让更多人认识跆拳道的好处, 各种跆拳道相关组织相继成立。跆拳道相关工作已经超越个人修炼的层面, 扩展到各类组织推动的各种项目。

跆拳道相关组织是跆拳道的代表。这些组织的决策、工作和处理工作的方式都可能影响跆拳道的外部形象。组织做出的错误决策可能会给跆拳道和全球范围内的跆拳道修炼者带来不可逆转的负面后果。在这方面, 跆拳道精神也具有规范作用, 能够引导各种跆拳道相关组织所推动的活动。

因此, 跆拳道精神在多个层面上起到指导作用, 包括多维度的价值。换言之, 跆拳道精神应包括个人、社会和意识形态方面的价值。包括这些价值维度的跆拳道精神是克己和弘益, 意为 "克服自我, 造福世界!"

(2) 内容

跆拳道精神中的"克己"有"战胜自己"、"克服自己"和"突破自己"的意义。从这个意义上讲，"克己"可以说是成为更伟大存在的自我成长原则。通过"克己"，自我从"孤立的存在"扩展到"社群成员"，进一步扩展到"与众人为一"。

作为"孤立的存在"，一个人会忠实于自己的本能，优先考虑自身利益。本能是追求快乐、避免痛苦的心理倾向。因此，对本能忠实的人无法忍受并克服跆拳道修炼带来的痛苦和困难。在这里，"克己"意味着超越忠实于本能的自我，通过忍受痛苦和困难成为更伟大的存在。

修炼者忍受并克服修炼带来的痛苦和困难，能够变得更强大。然而，变得更强大的人往往容易行事傲慢，渴望炫耀自己的力量。当骄傲和炫耀的欲望导致滥用力量时，这种行为可能会伤害他人，不利于整个社群。在这里，"克己"意味着通过毅然摆脱骄傲和炫耀的欲望，克服傲慢的自我，成为愿意为他人牺牲的"社群成员"。

作为"社群成员"，一个人会将自己视为所属社群的一部分，并将社群的利益置于首位。因此，具有强烈"社群成员"意识的人也具有深厚的"我们意识"，对社群表现出高度的忠诚，并愿意为社群牺牲自己。然而，在许多情况下，这些人会仅仅因为信仰、宗教、肤色、语言等方面的差异而对社群以外的人表现出冷漠甚至敌意。在这里，"克己"意味着超越作为"社群成员"的自我，成长为"与众人为一"的自我。

与跆拳道精神"克己"含义最接近的成语是"修身齐家治国平天下"，这是朝鲜王朝的学者们用来指导人生的一句话。其中"修身"意味着净化身体，不仅指物理上的身体，还指人本身。换句话说，这个成语的意思是，人类通过从"孤立的存在"成长为"国家成员"，进一步成为"与世界为一"，扩大自我的包容范围。在传统的以战争决定统治权的社会中，修身的最终目的是平天下，即征服和平定世界。在一个梦想实现无战争世界的21世纪社会中，它被解释为通过建立和平（平天下）来造福世界的弘益。最后，这个成语也可以被认为是跆拳道精神另一种表达方式，意味着通过"克己"扩大自我的内涵，实现弘益的人道主义理想。

虽然弘益是跆拳道的终极理想，但克己是实现这一理想的具体途径。将克己和弘益作为人生指南的跆拳道修炼者，在不同阶段践行克己，不断成长，最终成为造福世界的人。

跆拳道精神的克己与弘益包含了意识形态、社会和个人层面的价值。克己与弘益具有意识形态特征，因为它们是一个持续的过程，而非固定状态。意识形态就像一个地平线，当你试图接近它时，它却不断地向后退去。此外，克己是一个伴随着痛苦和困难的过程，因此，它包含了忍耐和勇气等个人层面的价值。克己也包括尊重和关爱他人的价值，因为它是一个将"以自我为中心的自我意识"扩展为"我们意识"的过程，承认他人与自己平等，并接纳他人为自己的一部分。此外，通过克己成为"与众人为一"的自我，弘益还包含了正义和志愿精神等价值，因为它创造了一个对所有人都有益的社会。礼仪、正义和志愿精神是属于社会维度的价值。

2 — 跆拳道技术

跆拳道技术是让修炼者逐步接近跆拳道所追求理想形象的手段。通过反复地单独或综合练习跆拳道技术，如品势、实战和击破，跆拳道修炼者可以不断进步成为具有理想人格的人。

(1) 意义

技术是具体化的身体动作。跆拳道技术的形成涉及三个因素：身体、智力和情感。身体因素是指针对每个具有明确结构的场景采用特定的身体动作。我们通常称之为"形"，即具体的身体形态。身体因素是智力因素的结果。智力因素是为了实现特定目标而设计和寻找最合适的方法，并在成形或构成技术的动作中得到体现。

此外，技术的目的智力因素由情感因素决定。技术的目的是护身、比赛中的胜利、健康还是审美表现，取决于修炼者的心态、修炼团队的氛围以及修炼所在社会的主流价值观。直接或间接地，随着社会氛围和价值观的变化而变化的情感因素对跆拳道技术的目的具有决定作用。为满足特定目的，需采取系统化的修炼方法，而根据系统化的方法进行修炼能够创造了跆拳道技术。

这些跆拳道技术有时会根据使用目的、使用的身体部位和身体动作进行分类；也可以根据修炼级别进行分类。跆拳道技术包括基于身体运用（动作）的运动科学构建的基本技术，以及由基本技术构成的基础技术。跆拳道技术包括基本动作、品势、实战和击破，旨在帮助提高修炼效率。

(2) 具体内容

基本动作

跆拳道的基本动作是指在展示跆拳道技术时常用的手臂和腿的代表性动作。手臂的基本动作包括冲拳、中段格挡、外击打、下段格挡和上段格挡，而脚的基本动作包括前踢、横踢、侧踢、后踢、后旋踢和下劈。由于这11个跆拳道基本动作在大多数跆拳道技术中都很常见，按照轮换原则从基本动作逐步学习，并在修炼过程中加入更多细节，就可以轻松地扩展到基于相同动作的其他技术。

基本技术

跆拳道的基本技术基于跆拳道基本动作，并与姿势、移动技术和躲避技术相结合，广泛应用于品势、击破和实战等修炼领域。基本技术是通过适当地结合代表性的站姿、方向变化和移动技术来组成的，因此，适宜将它们作为每个修炼领域的主要练习内容，作为强化修炼的热身运动和通过重复修炼的增强运动。在每个修炼领域中，为尽量提高效率，可以增强基本技术的实用性。此外，基本技术可以发展成为每个领域（品势、实战、击破、示范等）的初级、中级和高级修炼者的新式品势。

品势

品势由远程和近战技术与姿势、方向变化或重心转移的移动技术综合而成。它使修炼者能够自己修炼和掌握攻击和防御技术。通过指定品势名称、品势动线和象征意义，增强了每个品势的意义和表现力, 根据修炼水平, 加强技术复杂性或控制节奏, 体现了适当调整难度和节奏的概念。近年来, 随着对于实用性的关注, 品势技术的实际用途得到强调, 超越了标准修炼水平的要求。此外, 随着品势变得更具竞争性, 实现美学和竞争价值已成为跆拳道品势练习的目标。

实战

实战是修炼的一个领域。实战让修炼者可以应用防御、攻击和移动等基本技术, 学习如何与对手竞争, 如何护身或制服对手。根据修炼目的, 实战分为护身实战和竞技实战。护身实战主要是通过模拟战斗情境来提高护身能力的修炼活动。护身实战有两种类型: 配合实战, 要求针对对手的攻击进行防御或反击; 以及特殊实战, 用于制服持有棍棒、枪支和刀具等武器的对手。

竞技实战是一种修炼活动。竞技者穿戴护具, 在不违反规则的情况下使用各种技术, 自由地进行防御和进攻, 与对手一对一对抗。换句话说, 竞技实战是一种根据运动项目的制度化规则进行技术竞争的自由实战。

击破

击破是修炼和有效掌握跆拳道技术以实现其原始目的的过程。击破既包括用各种跆拳道技术击打物体 (护具、沙袋等) 的修炼过程, 也包括通过破坏松木或大理石板等物体来衡量或评估跆拳道技术训练成果的过程。击破可大致分为力量击破和技术击破。通过修炼击打固定或移动目标, 击破的目的在于提高力量、速度和准确性; 通过修炼击打远距离目标, 提高控制与对手距离的能力; 通过修炼以不规律速度击打多个目标, 提高身体运动的力量和控制力。

3 — 跆拳道修炼

跆拳道修炼是通过反复练习跆拳道技术使修炼者具备理想人格的活动。换句话说, 跆拳道修炼是一种活动, 旨在通过反复练习跆拳道技术, 成为一个具有跆拳道精神在概念上构勒的理想人格的人。

(1) 意义

技术的修炼是一种旨在通过改变修炼者的身体和心灵, 进而提升其素质的活动。这不是一次性的事情, 而是必须一次又一次地重复进行。一次的修炼不足以改变修炼者的身体和心灵。从这个意义上说, 跆拳道修炼者的人生可以被描述为一个由无数个独立的修炼经历组成的连续过程。正如一条直线由无数个点组成一样, 修炼者的人生由无数个独立的修炼经历组成。

修炼者人生中的一系列独立的修炼经历

跆拳道修炼者的单独修炼经历本身是一个完整的单位, 具有开始、过程和结束。它从初始经历开始, 经过反思经历, 最后是完结经历。初始经历是在反思和思考过程介入之前的阶段, 修炼活动在体验上是一种模糊的感觉和情感流动。

反思经历始于个体试图识别初始经历中所经历的模糊的感觉和情感流。这是努力将它们转化为一个统一状态的阶段。完结经历是将每次修炼经历中形成的所有因素累积并整合成一个完整状态的阶段。

初始经历	反思经历	完结经历
开始	过程	结束
· 反思和思考干预之前的阶段	· 试图查明初始经历中所经历内容的阶段	· 每个修炼经历中形成的所有因素累积并整合成一个完整状态的阶段
· 通过模糊的感觉和情感体验修炼活动的阶段	· 试图将模糊的感觉和情感流转变为一个统一状态的阶段	

独立修炼经历的构成和内容

在上述三个经历阶段中, 最重要的阶段是反思经历阶段, 此阶段试图将模糊的初始经历转变为一个统一状态。反思是回顾自己所做的事情并确定其适当性。然而, 要确定某事物的适当性, 必须有预先设定的标准。在跆拳道修炼中, 预先设定的修炼目标便是确定适当性的标准。修炼目标是修炼者通过独立的修炼经历想要实现的目标。在开始修炼之前, 修炼者应参考师范的指导, 制定修炼目标, 并以此为标准来确定修炼活动的适当性。

让我们以跆拳道中横踢的单独修炼经历来进一步理解上述内容。跆拳道修炼者在开始修炼之前, 应先参考师范的示范和解释, 将完美的横踢形式设定为自己的修炼目标。

跆拳道修炼者现在必须举起脚并尽全力尝试横踢的完整形式。然而, 横踢对初学者来说并不是一种容易掌握的技术。大多数初学者在抬起脚踢的那一刻就失去了重心, 并在不知不觉中过度地向前倾斜上半身。如果修炼者抬脚踢得太高, 便会立刻在大腿和裆部感到剧烈的疼痛。修炼者可能会以一种混乱的方式在身体中体验各种感觉, 可能会因为做得不好而感到羞愧, 或者可能会对接下来的修炼结果感到模糊的担忧。抬高脚并踢出去甚至可能感觉很畅快。这样, 修炼者可能会感到困惑, 因为一下子出现各种感觉和情感的流动, 来不及去认真反思。这就是修炼横踢的初始经历。

在尝试了几次踢击之后, 修炼者可能会意识到自己正在学习横踢, 并会花一些时间思考自己做的动作是否有效。

这使修炼者进入了反思经历的阶段。修炼者将不断尝试横踢技术并思考, 无数次地重复这个过程, 以减少心中描绘的完美踢法与下一次完成动作之间的差距。没有这样的比较, 修炼者将不知道自己现在的踢法是否正确, 或者接下来该做什么。在反复修炼的过程中, 一开始对横踢一无所知的情况下所模糊界定的完美形式, 会不断得到改正。这就是修炼横踢的反思经历。

一个单独的修炼经历, 在修炼者基于积累的思考和修炼做出完美的横踢动作时, 便算大功告成。

换句话说，修炼者的单独修炼经历完成的时刻是自己感到横踢动作已达到完美的形式，或指导者给予如此反馈之时。以这种方式所掌握的踢法中，包含着修炼者此前所有尝试和思考的结合。修炼者可能会有一种成就感，会感到自己之前所付出的努力并非徒劳，而是带来了有意义的结果。这就是修炼横踢的完结经历。

如上所述，修炼跆拳道横踢的三个经历阶段构成了一个完整的单独练习经历。在跆拳道中，不仅有与横踢等单项技术相关的独立修炼经历，还有与技术组合如品势、实战和示范等相关的独立修炼经历。修炼跆拳道意味着持续完成这样的单独修炼经历。

(2) 内容

痛苦与自我成长

旨在学习技术的独立修炼经历是自我成长的机会。为了理解独立的修炼经历与自我成长之间的关系，一个重要的切入点便是跆拳道修炼过程中不可避免会经历的痛苦和成就感。

跆拳道修炼是一个痛苦的过程。之所以跆拳道修炼经常被描述为"与自己战斗"或"自我否定的过程"，是因为它总是伴随着大大小小的痛苦。重复练习相同动作的厌倦，身体在超过自己能力范围时的疼痛，过度使用未曾使用过的肌肉后的肌肉痛，试图增加髋关节活动范围时大腿和臀部关节的疼痛，修炼过程中呼气时胸部的疼痛，与对手碰撞时脚部的疼痛，以及在实战训练中被对手击中的疼痛，都是跆拳道修炼过程中可能经历的痛苦，可谓不胜枚举。

当人们感受到痛苦时，便会立刻想要停止受苦。痛苦是一种警告，表明一个人的能力已经达到了极限或处于危险之中，同时也是身体对一个人当前行为的不满。对于跑步者来说，痛苦是对跑步的不满。对于通过击打目标来锻炼拳头的人来说，痛苦是对拳击练习的不满。对于试图增加关节活动范围的人来说，痛苦是对这种努力的不满。

痛苦，作为一种表达不满的方式，也是在命令人们尽快停止导致痛苦的行为。换句话说，它是一个要求立即停止跑步、拳击练习或扩大关节活动范围的命令。

然而，在跆拳道修炼过程中停止痛苦意味着终止修炼。如果修炼者屈服于痛苦，停止练习，便无法掌握所要学习的技术。为了掌握技术，成为更强大的人，修炼者必须忍受并克服痛苦。在这种情况下，修炼者的心中充满了两种渴望："因痛苦而停止修炼的渴望"和"尽管痛苦仍继续修炼的渴望"；这两种渴望之间存在着尖锐的冲突。在"自我否定"和"与自己战斗"中，"自我"代表了"因痛苦而停止练习的渴望"。

如上所述，在这种情况下，通过克服痛苦，修炼者可以成为更伟大的存在。这里新的注意点是痛苦本身引发的自我成长。痛苦的这种作用也解释了一个人生活中自我戏剧性变化与经历巨大痛苦之间的深刻联系。痛苦可以成为自我成长的重要契机，因为它提高了受苦者的认知能力，增加了其同理心，并培养出一种社群意识。

痛苦会激起受苦者想要避免它的渴望。受苦者不断思考如何停止痛苦，并努力摆脱它。因此，痛苦通过让受苦者持续深入思考和策划，拓宽和加深了思考的广度和深度。在这个过程中，一个人的认知能力会得到提高，而改善的认知能力在思维能力方面为自我成长提供了机会。

痛苦可能会通过培养同理心为自我成长提供机会。只有那些亲身经历过痛苦的人才能更好地理解他人的痛苦。换句话说，痛苦的经历让受苦者对他人的痛苦感同身受，可增强个人的同理心。同理心是将自己的情感与他人的情感同步的能力，同理心的发展会伴随着自我的扩展。跟随修炼而来的痛苦，使修炼者能够对他人的痛苦感同身受，可以成为修炼者自我成长的机会。

痛苦是一个信号，表明一个人的身体受到了威胁。当人们受到威胁时，应对不稳定的情形，会倾向于更加依赖他人。依赖他人的渴望等同于释放警惕、将他人视为自己一部分的渴望。换言之，痛苦带来的焦虑使一个人将自己视为一个相互联系的社群的成员，而不是独立于他人的个体。通过这种方式，痛苦通过扩大自我的包容范围，为自我成长提供了机会。

正如上文所述，痛苦可以扩大自我，促进个体成长为更伟大的人。然而，痛苦的经历并不总是使受苦者成为更好的人。经历极端的痛苦可能会对一个人的性格产生负面影响，使其变得不善社交和具有破坏性。为了防止这种情况发生，必须将痛苦的独立修炼经历融入修炼者的整体人生目标，并朝着理想人格形象的方向发展。

自我反省和成就感

相对于修炼者追求理想人格形象的整体人生目标，独立的修炼经历本身究竟有何意义，迄今仍不明确。要赋予独立修炼经历明确的意义，必须将它们融入修炼者的整体人生目标。未融入修炼者整体人生目标的独立修炼经历可能会显得意义不明，甚至变得毫无意义。修炼者可以考虑这些经历对于整体人生目标的意义，将独立的修炼经历作为自我发展、提升自我素质的契机。

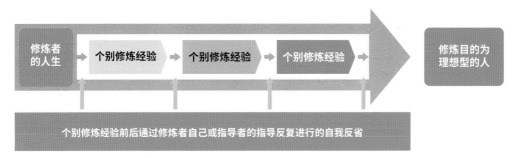

通过自我反省将独立的修炼经历整合到人生目标中

考虑独立的修炼经历对于整体人生目标的意义，意味着明确独立的修炼经历的目标对于整体人生目标的意义。举例来说，对于"正确完成横踢动作"这样的独立修炼经历的目标，也需反映修炼者的整体人生目标。这样，独立的修炼经历（横踢）中的活动内容，其目的便不只是当前修炼经历的目标（正确完成横踢动作），同时也包含达到修炼的最终目标（成为更好的人）。

要在独立的修炼经历中反映整体人生目标，需要修炼者在修炼过程中不断自我反省。自我反省应在修炼前、修炼中和修炼后持续进行。自我反省始于在开始修炼前，描绘一个人所期望达到的自我形象。为了在心中描绘自己，一个人首先需要平静下来，达到内心的宁静。换句话说，跆拳道修炼者在开始自我反省之前，应该先平静心灵，摆脱所有杂念。这样才能描绘出自己期望达到的自我形象。

跆拳道修炼中专门为此安排了准备姿势。跆拳道中的准备姿势通过呼吸和缓慢的动作使心灵平静，摒除一切私念。听到"准备"口令后，修炼者应将双脚分开与肩同宽，双手放在丹田前方。然后，缓慢地抬起双手至胸部，同时进行深呼吸，握紧拳头。接着，将双拳慢慢放回肚脐区域。保持准备姿势约5至7秒钟，修炼者可以通过缓慢的动作和呼吸使心灵平静并达到专注状态。

当心灵处于无我的平静状态时，修炼者应该在心中设想通过修炼所期望达到的改变。然而，以这种方式描绘的理想自我形象并非一成不变，而是随着修炼级别的提高而不断改变和明确化。

初级跆拳道修炼者通常设想自己成为可以保护自己免受不公正暴力侵害的强大人物，或者能够表演精彩的踢击动作。许多人决定修炼跆拳道是为了掌握一种护身术，或者是被电视上或网上精彩的踢击表演所吸引。然而，在开始跆拳道修炼后，这些人心中所设想的理想自我形象会随着时间的推移而发生变化。例如，一个不仅强大而且宽容的指导者形象，或者一个用力量和智慧造福世界的人物，都可能是修炼者新的追求目标。

在修炼者自我形象的形成过程中，师范发挥着决定性的影响。师范如果能力和品格兼优，便能够成为修炼者心中想要仿效的人物形象。从这个意义上讲，师范必须掌握足够的技术才能成为修炼者的榜样，同时还必须注意言行，不懈努力培养良好的品格。

修炼者的自我反省不仅应在修炼前进行，修炼完成后同样需要自我反省。修炼后的自我反省就是修炼者比较自己修炼前后的自我形象。

此外，如果修炼者成功地完成了修炼，便可能会通过自我反省感受到一种成就感，即感到自己的力量已得到增强。这种感觉体验会立即改变修炼者看待和体验自己和世界的方式。通过修炼增强力量的感觉使修炼者期望在未来继续修炼以进一步增强力量，并给予其超越现有活动范围、充分实现自己潜能的渴望。

就这样，修炼者将自己视为具有持续成长能力的存在；基于这种自我认知，修炼者能够看到更广阔、更遥远的世界，而一旦修炼者实现了这一点，就会重新组织之前一直坚持的修炼目的。换句话说，修炼的总体目的从培养力量以成为强有力的人转变为成为受人尊敬的指导者，引导他人走上正确道路，或者通过志愿精神和分享为世界带来广泛的利益。

因此，修炼是一种通过在技术反复练习过程中不可避免地体验到的痛苦来拓展自我，通过自我反省和成就感以提高自我的活动。

3 跆拳道的价值

1 — 价值的意义

　　跆拳道的价值可以从多个角度来定义。跆拳道价值的不同组成部分源于以下几个武术术语: 武术、武艺和武道。武术是指追求实用价值的技术活动, 如护身和健康。武艺是指追求美学价值的艺术活动, 如跆拳道示范。武道是指追求精神价值的哲学和类宗教活动, 如品格修养或宗教启蒙。根据这个定义, 可以说跆拳道同时包含了武术、武艺和武道的价值。

　　跆拳道可以是追求健康和护身等实用价值的手段 (武术)。它可以是追求美学或技术完美的艺术活动 (武艺)。此外, 它还可以是追求精神价值的哲学和类宗教活动 (武道)。然而, 这种价值定义是任意的, 因为武术、武艺和武道之间的区别是基于文化差异而不是原始价值差异。在远东, 武术长期以来一直是战斗的综合术语, 分别在中国、韩国和日本被表达为术或法、艺和道。在中国、韩国和日本, 武术、武艺和武道都是传统武术实践的通用术语。因此, 这种价值定义没有绝对性。

　　与其他身体活动或运动相似, 跆拳道的价值也分为生理、心理和社会价值。生理价值包括与通过反复和持续的跆拳道修炼而追求的身体生理功能改善有关的价值, 涉及肌肉骨骼系统、心肺循环系统和神经系统等。心理价值包括在跆拳道修炼过程中修炼者所经历的乐趣和愉悦、因缓解压力而产生的心理稳定以及通过跆拳道修炼而加强或培养的心理能力, 如忍耐和勇气。社会价值包括在跆拳道修炼过程中通过内化各种社会规范和规则促进社会化的相关价值。

　　尽管上述价值区别任何人都可以轻易理解, 并可以轻松解释跆拳道的意义, 但它并没有恰当地揭示跆拳道的独特价值。跆拳道的独特价值可以通过外在价值和内在价值的区别来揭示。外在价值是指除跆拳道之外还可以通过其他方式获得的价值。内在价值是指只能通过修炼跆拳道或类似跆拳道的活动来获得的价值。

2 — 跆拳道的固有价值

　　跆拳道的固有价值是指跆拳道的固有价值, 因此, 是只有通过直接参与跆拳道或类似活动才能获得的价值。跆拳道固有的价值有几种类型。这些价值可以大致分为三类: 身体机能性、心理性和道德性。

　　固有身体机能性价值指身体长时间从事某项活动而获得的能力。跆拳道的内在身体机能性价值指长期跆拳道修炼者所获得的灵巧动作和踢击技术等价值。严格来说, 跆拳道修炼者通过准确且重复的练习每种防御和攻击技术所获得的训练有素的身体以及这种练习的益处构成了跆拳道的内在生理功能性价值。长时间修炼跆拳道的人可以获得灵巧的踢击能力、柔韧性和速度。因此获得的身体益处是固有身体机能性价值。这种价值被视为跆拳道或类似活动的内在价值, 因为它们只能通过这些活动来追求, 并且只能通过参与这些活动来获得。

通过反复修炼技术而获得的生理能力，如熟练的踢击、柔韧性和速度以及这些能力的益处	通过反复修炼技术而获得的生理能力，如熟练的踢击、柔韧性和速度以及这些能力的益处
修炼者通过修炼而体验到的心理能力，如满足感、勇气和忍耐	修炼者通过修炼而体验到的心理能力，如满足感、勇气和忍耐
修炼者通过修炼而获得的道德价值，如礼仪、正义和奉献	修炼者通过修炼而获得的道德价值，如礼仪、正义和奉献

跆拳道的固有价值

跆拳道的固有价值并不一定表现为卓越的生理能力。通过跆拳道修炼可以体验到的满足感以及可以锻炼的心理能力也是这种内在价值的一部分。这些价值被称为内在心理价值，因为它们与跆拳道修炼者的心理功能有关。这些价值包括在努力获得出色的生理功能过程中所体验到的满足感，如愉悦感或成就感，以及在这个过程中进一步加强或培养的心理能力，即毅力、专注力、判断力和合作精神等心理取向。

满足感指修炼者在修炼过程中体验到的心理满足。

心理能力指的是心理取向，包括在竞技场上不被对手的诡计所左右的观察力、在对手防守中找到空档并在正确时机进攻的辨别力，以及在面对强大对手时，毫不怯场地展示自己技术的勇气。这些心理能力被认为是跆拳道的内在价值，因为它们只能通过跆拳道或类似活动获得。

道德价值是指通过跆拳道修炼所内化的礼仪、正义和奉献等价值。如果跆拳道只是局限于个人身体优势的武艺，那么它就不会发展成为吸引全世界人们关注的普世体育文化。跆拳道不仅仅是一种护身术，它还教导人们尊重他人、重视社群和乐于分享。这种内在的道德价值使跆拳道成为一种普世文化。

跆拳道修炼是一种追求跆拳道内在价值的活动。在跆拳道修炼过程中获得的卓越生理功能、修炼过程中感受到的满足感、得到加强或培养的心理能力（如忍耐、勇气等）以及道德价值，如礼仪、正义和奉献等，都是所有跆拳道修炼者所共同认同的修炼目的。当然，有些人会因为其他原因而对跆拳道产生兴趣或进行跆拳道修炼。例如，有些人修炼跆拳道是为了赚钱、出名或获得权力等，而且可能确实通过跆拳道修炼获得了想要的东西。通过跆拳道追求金钱、名声和权力等外在价值无可厚非。虽然可通过跆拳道追求外在价值，但跆拳道的根基是其内在价值。如果没有跆拳道的内在价值，便无法追求外在价值。

2

跆拳道的历史

1 跆拳道历史的理解

1 — 历史的意义

(1) 历史的一般含义

历史有两层含义: "过去的事件" 和 "对过去事件经研究和记录的描述或表述"。也就是说, "作为过去的历史" 和 "作为编撰的历史", 分别表示历史的客观和主观方面。在 "作为编撰的历史" 中, 历史学家调查、研究过去的事件并对其进行主观重构。在这个过程中, 形成了反映个人观点或价值观的历史叙述。有一句著名的引言称历史是 "过去与现在之间无休止的对话"。这句话表明, 历史既是过去发生的事件, 也代表了当下人们对特定事件的兴趣。因此, 在众多过去的事件中, 历史学家选择那些与感兴趣的主题相关的事件, 并根据事实证据进行解释。

(2) 需要了解跆拳道历史的理由

修炼者有三个理由需要了解跆拳道的历史。首先, 历史知识使人们能够清晰地了解过去的主要事件以及跆拳道技术形成和发展的过程。跆拳道的历史涉及到这个武艺形式的起源和发展的知识。其次, "以史为鉴" 这个词意味着通过学习跆拳道的历史, 修炼者可以做出公允的决策并汲取必要的教训。对于跆拳道的各种当前问题或事务, 对以往密切相关的事件开展案例研究, 可以发现处理手头问题的策略和解决方案。跆拳道的历史是一个智慧的源泉, 可以帮助预测和塑造跆拳道的未来。第三, 跆拳道与其他武艺形式相区别的特点或优势/劣势与其历史和文化身份直接相关。通过学习跆拳道的历史, 可以详细了解这些方面的问题。

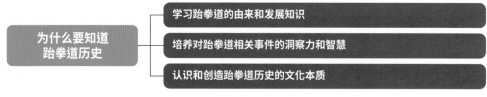

为何需要了解跆拳道的历史

2 — 从文化史的角度理解跆拳道

(1) 跆拳道非物质文化特性

跆拳道是韩国武艺文化的历史产物。跆拳道的现行形式从原始形式演变而来, 这种演变基于韩国的文化背景, 经历了与历史和地区情况相关的若干变化。与韩国的其他文化一样, 尤其是在武艺领域, 韩国与包括西方、中国、冲绳和日本在内的许多国家和地区进行了积极的文化交流。有时, 韩国武艺受到了西方和中国武艺的影响; 而其他时候, 如古代骑马武艺、手搏和摔跤等例子所示, 韩国武艺对日本古代武艺和冲绳中世纪武艺产生了影响。冲绳是空手道的发源地。它过去是独立的琉球王国, 后来在19世纪被日本吞并并解散, 形成了冲绳县。从历史记载来看, 武艺是人们信奉的非物质、无形文化的一部分。因此, 武艺的历史经常表现出与不同时期和地区的文化相融合的现象。非物质文化遗产是一个不断根据当地居民的倾向、传统、社会状况和实际价值观重塑的产品, 这些遗产通过口头传播和/或书面记录传承下来。由于武艺构成了一种使用身体进行实践的无形文化, 它具有随着历史和社会趋势而发生变化或重构的文化特征。因此, 作为一种非物质文化的跆拳道历史应被描述为反映韩国地区特点的宏观、整体性的文化史。

(2) 跆拳道的文化史描述

跆拳道如今被认为是一种特定类型的武艺或体育活动。然而, 它的起源揭示了一个复杂的文化融合过程。现代跆拳道的形成涉及到20世纪初日本殖民时期中国满洲地区武艺技术的传入、冲绳的手(原冲绳发音为toodi, 后来改名空手)的引入以及与韩国传统武艺跆跟的结合。因此, 关于外国武艺的接纳及在韩国武艺文化背景下的适应性变化, 跆拳道是一个重要的历史实例。因此, 跆拳道的历史被认为是涵盖所有时代的韩国武艺文化史, 包括韩国传统武艺的演变。

文化史关注不同时代和地区的特定人类活动。从文化史的角度来看, 跆拳道的起源必定会反映出广泛的视角, 因为它是一个历史重塑的产物, 历经了外来文化和韩国本土文化一个漫长的融合过程。因此, 跆拳道的历史可以总结为从古代到现代的跨时代武艺文化史。它包括军事武艺或原本是战争中护身和必要技术的武艺; 作为民间竞技而练习的武艺活动; 以及民间节日娱乐形式的武艺。武艺的文化史观点对跆拳道修炼者具有特殊意义。从文化视角来思考跆拳道的意义, 修炼者会主动地通过修炼跆拳道来提高自己的文化创造能力, 因为跆拳道的精神和技术并非永恒不变, 而是根据个人和/或团体的能力或者当今社会的需求, 具有无尽的再创造可能性。跆拳道的文化史基于对韩国历史的跨时代理解。本章将阐述韩国历史发展过程中武艺文化如何发生变化, 并最终创造我们今天所熟知的跆拳道形式的诞生。

(3) 跆拳道历史的时代划分

跆拳道是起源于韩半岛并在此发展的武艺和运动。跆拳道的历史大致可从韩国历史的发展脉络进行讨论和研究。韩国悠久的历史可以分为四个阶段: 古代、中世纪、近代和现代。跆拳道的历史, 作为韩国武艺历史的一部分, 也可使用同样的划分方法。不过, 对于跆拳道而言, 也需要考虑导致武艺发生重大变化的因素。因此, 跆拳道历史的古代时期始于公元前24世纪, 当时古朝鲜王国作为韩国第一个王国成立。这一时间点也常被视为韩国民族的起源点。之后, 于公元10世纪, 即统一新罗的末期终止。我们研究了这一期间手搏的历史, 其痕迹可以在高句丽的壁画和其他地方找到。跆拳道历史的中世纪时期始于高丽王朝成立的10世纪, 并于16世纪刚好在壬辰战争 (日本侵略韩国) 爆发前结束。在此期间, 手搏在民间广泛传播, 并传至冲绳。近代时期从17世纪开始, 因为在壬辰战争之后, 武艺历史发生了重大变化。也就是说, 在壬辰战争期间由明朝引入的拳法在韩国发生了变革, 并被记录在《武艺图谱通志》(一部综合性的武艺图解手册) 中。拳法演变为跆跟, 一种民间竞技。此后, 从日本殖民统治开始, 直至1945年国家解放, 这一时期构成了近代时期。最后, 跆拳道历史的现代时期始于1946年, 并一直持续到现在。在此期间, 随着国家的解放, 外国武艺被引入并建立了五大馆。引入韩国的外国武艺和受韩国传统武艺跆跟启发的踢技进一步发展, 并体现了独特的韩国特色, 塑造了现代跆拳道的模样。

跆拳道史的内容构成	作为跆拳道传统的韩国徒手武艺史 古代, 中世纪, 近代 (公元前24年-1945)
	现代跆拳道史 (1946-现在)

跆拳道历史的构成

2　跆拳道的传统: 韩国徒手武艺史 (古代到1945年)

韩国徒手武艺史可以被认为是跆拳道传统的一部分, 因为现代跆拳道受到了韩国徒手武艺文化的影响。这种影响主要体现在以下几个方面。在近代, 创立馆 (流派) 的民族主义者们认识到了韩国传统徒手武艺手搏、拳法和跆跟等的价值, 致力于发展出一种独特的韩国武艺形式。例如, 现代跆拳道的先驱尹炳仁、黄琦和崔泓熙积极运用传统的脚技术。他们继承了像花郎道中的花和跆跟这样的传统名称。这种对恢复传统文化的热情为跆拳道成为韩国现代武艺形式奠定了基础。本节侧重于讨论跆拳道历史中的韩国徒手武艺, 以及其形式、内容和随着时间推移所经历的变化。

1 — 古代时期 (公元前24世纪–公元10世纪)

跆拳道的历史始于古代时期, 从古朝鲜的兴起, 经历三国时期, 直至统一新罗的出现。在这个时期, 武艺被认为是性命攸关的技术。个人和团体的生存依赖于这些武艺, 也因此武艺的推广速度迅速。武艺受到高度重视, 因为它们是个人攀升社会阶梯的手段, 也是决定国家兴衰的关键技术。古代时期徒手武艺的历史痕迹只能在壁画和文物中找到。

(1) 古朝鲜时期的武艺 (公元前24世纪–公元前2世纪)

青铜器时代的古朝鲜是韩半岛上出现的第一个王国。关于古朝鲜时期的武艺, 现存记录甚少。只能从青铜匕首等历史文物中找到蛛丝马迹。然而, 鉴于已发现了许多描绘武艺的绘画, 这一时期可被视为韩国武艺历史的起源。这些绘画与古代相继在韩半岛建立的国家如高句丽和扶余相对应, 这些国家被认为保留了古朝鲜的遗产。古朝鲜文化与中国青铜器时代的文化不同, 因为古朝鲜涵盖韩半岛北部地区, 那里出土了琵琶形青铜匕首、台式石棚和美松里型陶器。在古朝鲜时期, 人们使用一种具有特色的青铜匕首, 这是青铜器时代的代表性武器。青铜匕首被统治者用作武器或礼器。古朝鲜的青铜匕首呈琵琶形, 出土于辽东和韩半岛北部。在青铜器时代晚期和铁器时代, 这些匕首被发现于韩半岛各地的细长青铜匕首所取代。与中国式青铜匕首不同, 韩国式青铜匕首的刀身和刀柄是分开的。这表明, 古朝鲜的青铜器时代文化与中国的起源不同。古朝鲜的记录最早出现在公元前7世纪初的中国历史书籍中。《管子》和《山海经》等中国的历史记录有提及古朝鲜。公元前4世纪, 古朝鲜拥有的军事力量足以威胁中国战国时期的许多诸侯国。古朝鲜的军事力量足以对抗中国。根据推测, 从军人员可能非常精通武艺。

在古朝鲜北部发现的琵琶形青铜匕
首 (左) 以及南部发现的细长青铜匕
首 (来源: 国立庆州博物馆)

(2) 高句丽王国时期的徒手武艺, 手搏(公元4世纪)

　　墓葬壁画生动地描绘了高句丽人民的生活和武艺 (公元前37年至公元668年)。即使在1500年后, 我们仍然能够从中窥见古代的生活。这些绘画真实地再现了高句丽人的生活方式, 包括人们练习徒手武艺和摔跤 (韩式摔跤) 以及熟练使用剑和矛等武器的情景。在这些壁画中, 首次向我们揭示了韩国徒手武艺存在的两幅作品, 分别出土于安岳三号墓和舞蹈者之墓 (舞踊墓)。这些绘画作为主要证据, 证实了手搏的存在, 这是一种徒手武艺, 距离壁画创作700年之后的高丽王朝记录也描述了这种徒手武艺。

　　在这两幅壁画中, 我们可以看到两名强壮男子的手和腿的姿势, 他们正准备用手击打对手, 而不是用拳头。研究人员指出, 这种描绘代表了手搏, 根据高丽和朝鲜王朝的记录, 这是 "一种两人用手相互击打并对抗的武艺"。另一方面, 在日本, 这些壁画被认为是相扑的原型, 即日本式摔跤。然而, 两个人之间距离较远的大开腿姿势与相扑格斗的头对头姿势不同。这种武艺中还可能使用了脚技术。这幅画还描绘了在比赛中互相对抗的体格较大的强壮男子的种族特征。一般推断, 一名斗士来自高句丽, 另一另一名有着罗马鼻的斗士是波斯人。考虑到西方国家与高句丽和中国之间通过丝绸之路进行了频繁的交流, 有西方人实际传播手搏的假设被认为有一定的说服力。关于手搏的身份细节, 即使在中国的历史记录中也不清楚。关于手搏的第一份记录出现在中国文献中, 特别是在《手搏娱编》中。然而, 由于这本书已经失传, 所以没有详细信息可查。出土于中国河南省打虎亭汉墓后汉时期的一幅壁画也与手搏有关。从画中人物看, 可以推断当时流行像手搏和摔跤这样的武艺比赛。这幅画中有一个罗马鼻的西方人。因此, 可以假设, 通过丝绸之路可能发生了与西方人的文化交流。

两幅被认为描绘手搏的高句丽时期壁画。左图显示的是朝鲜黄海道安岳三号墓的壁画，右图显示的是从中国私人住宅出土的舞踊墓壁画。两者都描绘了一个西方人的形象。

(3) 百济王国时期的徒手武艺(公元前1世纪–公元7世纪)

与百济王国时期徒手武艺有关的一件文物是1993年发现的百济金铜大香炉上雕刻的人物。这个人物雕刻在香炉本体莲花瓣的上部。人物左臂伸展，左腿弯曲，展示了充满力量和紧张的动态姿势。推测该人物描绘的是练习徒手武艺的人。百济在日本被称为驾洛，对古代日本的政治、军事和宗教具有很大影响。在日本，古代百济风格的的墓葬、寺庙、堡垒、居住遗址和各种遗物都证明了这种影响。举几个例子来说明，比如说日本飞鸟时代的文化、七支刀、日本国宝隅田八幡神社人物画像镜和东大寺高德院的大佛 (这是世界上最大的阿弥陀佛如来青铜像)。

另一个值得讨论的问题是百济与日本皇室之间的血缘关系。2001年，日本明仁天皇承认他是百济人的后裔。基于此，人们认为百济武艺，在与高句丽和新罗的众多战斗中发展壮大，最终传入日本。在《日本书纪》(日本编年史) 中，描述了百济使者在"皇极天皇元年"拜访并表演徒手武艺的情景。日本皇室还有记录描述了壮实青年在宫廷间的对抗比赛。这些例子都表明了百济武艺与古代日本武艺之间的关联。

在百济金铜大香炉的人物雕刻中，有一名练习徒手武艺的士兵(来源: 国立扶余博物馆)

(4) 新罗王国时期的徒手武艺 (公元前1世纪–公元10世纪)

关于新罗时期的徒手武艺, 并没有明确的记录。然而, 有一些文物表明徒手武艺在新罗时期可能存在。因此, 人们推测在新罗时期可能也有人练习徒手武艺。这些文物包括从新罗首都庆州龙江洞出土的战士陶俑, 以及来自于元圣王陵的士兵石像。龙江洞出土的战士陶俑有三个不同的模型, 每一种所表示的徒手武艺站姿和动作均不相同。这三个陶俑的实战姿势各异, 被认为是描绘了手搏的基本动作。王陵的两种士兵石像代表了保护元圣王陵的西方护卫。石像描绘了一种左手持剑、右手握拳的攻击姿势。正如高句丽墓葬壁画所示, 韩国三国时期, 波斯粟特人等西方人可能已迁徙到韩国, 导致了军事资源和武艺方面的频繁交流。在古代韩国新罗王朝, 形成并发展了遵循独特军事和哲学准则的青年团体花郎道。他们为新罗发起的三国统一做出了贡献, 并通过练习武艺为战争做准备。花郎五戒构成了这些古代士兵哲学理念的基础。忠诚、孝顺、勇气和忍耐等品德成为了近代跆拳道的哲学基础。在包括《花手道教本》(1958年)、《拳法教本》(1955年)、《唐手道教本》(1958年)和《跆拳道教本》(1959年)在内的许多教材中, 都可以找到继承花郎道精神的内容。

左图是"战士陶俑", 即从庆州龙江洞古墓中出土的三个形态不同的陶制人物。他们采用了徒手武艺中的站姿(来源: 国立庆州博物馆)。右图是庆州王陵中的一尊西方护卫石像。该人物紧握拳头。

2000年千禧纪念发行的一枚韩国邮票, 上面包含了花郎精神的设计。忠诚、孝顺、勇气和诚信等品德影响了现代跆拳道。

2 — 中世纪 (10世纪–16世纪)

中世纪始于高丽王朝的创建, 结束于朝鲜王朝早期, 即16世纪壬辰战争爆发前夕。中世纪的历史文献中有详细记录徒手武艺手搏的活动。"五兵手搏"是高丽王朝军事政变的一个触发因素。相关记录表明, 手搏作为一种武艺竞技在军官中非常流行。朝鲜王朝有很多关于手搏的记录, 说明不仅是国王的卫兵, 而且普通民众都广泛地练习这种武艺。

(1) 高丽王朝的手搏 (10世纪–14世纪)

在高丽王朝 (918-1392年) 期间, 随着军人掌权, 像手搏这样的徒手武艺得到了积极发展。手搏比赛在公开场合举行, 就像当代的终极格斗。这些比赛被称为"手搏"。高丽王朝的毅宗命令军官在普贤院进行"五兵手搏", 这触发了一场军事政变, 成为高丽历史上的重大事件。"五兵手搏"一词被解释为五个军事部门或士兵之间的团体竞技。忠惠王喜欢手搏, 并经常举办这样的活动。手搏是高丽军官的代表性武艺技术, 对他们的升迁非常有帮助。李义民擅长手搏, 并晋升到最高级别。高丽军事政权的首领崔忠献举办手搏活动, 并奖励表现优秀的士兵。擅长手搏的敬圣被描述为一个武艺大师, 具有徒手破墙的能力。目前尚不清楚高丽时期手搏的具体细节以及手搏比赛中如何确定胜利者。唯一发现的记录表明, 手搏是士兵之间进行的击打比赛。《栎翁稗说》显示, 在高宗年间, 军队被调动起来平息了由李延渊发起的叛乱。记录提到朴信愈在战斗中通过踢击击败对手, 这意味着在手搏中使用了脚技术。手搏作为武艺可能被用于真实的战斗, 但它通常是一种体育运动, 包括根据设定规则的搏击比赛, 并充分考虑到对比赛者可能造成的伤害。

左图: 重现高丽时期五兵手搏场景的图片。

右图:《高丽史》中记录的五兵手搏 (来源: 韩国首尔大学奎章阁韩国学研究院)

(2) 手搏传至冲绳 (13世纪–14世纪)

有一个可靠的理论认为, 高丽王朝的三别抄军队的一些成员在13世纪迁移到了空手道的发源地冲绳。三别抄迁移到冲绳的理论是基于考古发掘出的高丽瓦片和城堡等文物。从冲绳出土的瓦片年代表明, 那时是1273年 (癸酉年), 三别抄在济州岛被击败和摧毁。当时在冲绳突然建立了大型高丽式城堡, 这支持了三别抄逃往冲绳的说法。

关于高丽与琉球王国 (冲绳的旧称) 的交流记录可以在包括《高丽史》在内的各种历史书籍中找到。朝鲜王朝的实录有多达460条有关冲绳的记录。在冲绳还保留着各种民间习俗, 如摔跤、拔河以及洗骨葬, 这些都支持了韩国民间文化流入该地区的理论。这支持了高丽的手搏 (三别抄曾经训练过的) 传至冲绳的可能性。如果三别抄迁移到冲绳的理论可以得到证实, 那么冲绳的手 (空手道的起源) 很可能源于高丽的手搏。

如果这是真的, 那么古老的冲绳武艺 "手(日语Te)" 就是源于手搏的 "手(韩语Su)", 后来与中国武艺技术相融合, 形成了更为系统的 "琉球唐手(根据冲绳原声为Toodi)拳法"。在20世纪, 这种武艺传入日本本土, 成为了空手道。这是典型的 "文化融合" 的模式, 即对于武艺来说, 传统文化与外来文化相互作用, 随着时间和地域的变化而发生变化。特别是由于冲绳地处连接韩国、中国、日本和东南亚之间的地理位置, 该地区有着悠久的历史, 容纳各种外来文化, 并将其本地化, 发展成为自己的独特文化。

左图: 从冲绳出土的年代为1273年(癸酉年)的瓦片。
右图: 城堡是突显三别抄迁移到冲绳的历史遗迹。

(3) 朝鲜王朝的手搏 (14世纪–16世纪)

推翻高丽王朝、建立朝鲜王朝的李成桂国王原本是一名军官。手搏是朝鲜王朝皇室活动的主要内容。为了纪念皇室的周年庆典, 汉城 (现首尔) 景福楼举行了一场手搏表演。有一次, 大约有50名擅长手搏的选手经过预选参加比赛。有一个人只身打败了8名对手, 获得了丰厚的奖品。在太宗年间, 表现优秀的手搏选手如果击败了三个或更多的对手, 就会被选拔为甲士 (皇家护卫)。手搏在挑选皇家卫兵时是重要的考虑因素。

手搏在当地传播广泛, 成为僧侣和居民喜爱的活动。韩国历史上最伟大的国王世宗, 授予了一位名叫海渊的表现出色的手搏僧侣一卷棉布, 并命令他留长头发, 重归俗世。许多其他僧侣也在不同地方练习手搏。有记录显示, 全国各地的平民, 如礼山 (现在的益山)、晋川和咸兴都在练习手搏。在礼山的卓之村, 每年七月十五日, 全罗道和忠清道的人们聚集在一起举行手搏活动。晋川有两位名叫濯衣和瑜曜的僧侣, 他们擅长手搏。在咸兴, 擅长手搏的人会被选拔负责军队粮食运输。

手搏在平民百姓中传播得非常广泛。因为使用手搏的谋杀事件, 官府则一度禁止这种武艺。然而, 历史记录表明, 由于当时手搏已经在全国范围内广泛传播, 所以想要根除并不容易。僧侣和商人将其作为护身术。杨阪 (朝鲜王朝的贵族) 也练习它。在一部叫《东士业》的历史书中, 有一条记录, 描述了一位16世纪的官员在梦中表演手搏技击。虽然这个故事是关于梦境的, 但可以推测当时手搏实际上非常受欢迎。

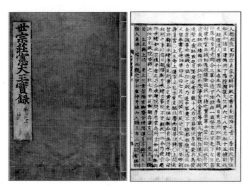

朝鲜王朝的实录中有关于手搏的30多条记录。《世宗实录》显示, 为大约50名预先选拔出的擅长手搏的选手举行了一场比赛。在这场比赛中, 皇家卫兵之一崔仲奇连续击败了6个人。因此, 世宗对他的技艺印象深刻, 奖励了他三卷高品质的麻布。(来源: 韩国首尔大学奎章阁韩国学研究院)

3 — 近代 (17世纪至1945年)

经历了壬辰战争 (1592年至1598年间的日本入侵韩国) 和丙子胡乱 (清朝入侵朝鲜) 等一系列战争之后, 17世纪的朝鲜王朝社会发生了重大变化。这个时期, 朝鲜社会经历了两场重大战争之间的社会改革、港口对外贸易的开放以及日本殖民统治的开始, 被划分为武艺史上的近代时期。这一时期的特点是出于战争的需要, 发展了军事武艺, 包括"拳法", 并且随着民间民俗文化的传播以及跆跟的出现, 各种武艺民间竞技得以发展。在日本殖民统治时期, 柔道和剑道被引入韩国。还有许多韩国人修习满洲中国武艺和学生在日本学习空手道的情况, 为引进外国武艺创造了新的机会。

(1)《武艺图谱通志》中的拳法 (17世纪–18世纪)

16世纪末, 壬辰战争爆发, 大量日本军队入侵朝鲜, 迫切需要武艺支持国防。从这时起, 韩国开始编纂和记录军事武艺, 其中《武艺图谱通志》的编写直到18世纪末才停止。《武艺图谱通志》是一本提供24种武艺形式图解总结的书籍, 涵盖了中日两国的武艺。当时, 一些精通武艺的人分析了武艺练习的内容, 并制作了相应的绘图和详细说明。

明朝的军事手册如《纪效新书》被用作参考资料, 以开发适合朝鲜环境的拳法等徒手武艺形式。在明朝的武艺军事手册中, 仅列出了动作和姿势的描述, 但在《武艺图谱通志》中, 还列出了动作的顺序, 以便将姿势应用于实战。尽管明朝的武艺手册仅将称为拳法的徒手武艺动作列为热身动作, 但在《武艺图谱通志》中, 它被重新整合为实战的训练体系。

18世纪末, 正祖时期的皇家卫队为壮勇营, 拥有数千名成员, 其中均是拳法精通的武艺高手。壮勇营的士兵驻扎在国王居住的宫殿和水原华城, 并在那里练习武艺。壮勇营的指挥官白东修是一位武艺专家, 他审查并编写了《武艺图谱通志》中的实用武艺技术。正祖去世后, 壮勇营的成员们分散到全国各地。这促进了武艺在全国范围内的传播。随着这一情况的发展, 拳法成为了徒手武艺的一般名称。还有一种学术假设认为, "跆跟" 的名字来自于曾经指 "拳法" 的 "打拳" 一词。

《武艺图谱通志》照片。该书编纂时间长达200年。这幅图描绘了两人用拳法实战的情景(来源: 国学研究院)

(2) 一般民众的徒手武艺 (17世纪)

在朝鲜王朝中期, 作为军事武艺的手搏和拳法得到广泛传播, 佛教僧侣和平民也开始修习。到17世纪, 这些技艺逐渐演变为民间武艺和儿童游戏。《默齐日记》记载, 1606年端午节期间, 村里的孩子们表演了手搏。在近代之前的记录中, 黄海道和庆尚南道的居昌地区称之为 "卡技", 平安道称之为 "纳尔帕仁", 全州称之为 "柴比", 金海、梁山和密阳称之为 "柴飞", 济州岛称之为 "巴刹落"。这表明到了朝鲜王朝末期, 徒手武艺在不同地区被赋予了不同的名称, 并采用了不同的游戏规则。

然而, 记录中只出现了不同的名字。技术细节描述得不够详细。朝鲜王朝中期两份历史记录的发现, 直观呈现了平民练习徒手武艺的情况。其中之一是一幅经过专家鉴定后在 "1993年KBS电视台民间绘画展" 上展出的武艺绘画。根据材料和风格, 专家认定这幅画为17世纪的作品。画中的三个年轻人展示了与当代跆拳道相似的姿势和动作。其中一人腾空而起, 做并脚侧踢, 同时以右冲拳攻击对手。对手双膝弯曲, 站姿较低, 手掌向上, 采取防守姿态。其余一人手持长棍, 以弓步立在一旁。如果这幅画是在17世纪创作的, 那么它也可能与当时手搏的形式或壬辰战争后传播的拳法有关。

另一个例子是太极, 形式上类似于其他健康养生的武艺。2009年, 有一家人提供的图文目录显示了根据新儒家思想体系所创的太极武艺的说明。它在全罗北道的金堤向公众展示。太极从17世纪中叶开始口口相传, 并在大约1930年由金炳 (1883-1941年) 记录下来。这份记录包含了53个结合了养生呼吸法和徒手武艺的姿势和动作的图片。技术构成包括与跆拳道横踢和后踢相似的姿势。

17世纪民间绘画中描绘的徒手武艺。画中的三个年轻人展示了与当代跆拳道相似的姿势和动作(来源: KBS电视台民间绘画展)。

朝鲜王朝的健康养生武艺太极武艺家图谱最近向公众开放。有关太极的资料包含了呼吸练习、徒手武艺中的各种姿势和踢法动作的描述(来源:《太极正路》)。

(3) 跆跟，一种民间竞技 (18世纪至今)

　　跆跟是一种源于韩国，专注于步法的武艺和民间竞技，对当代跆拳道的创立产生了深远影响。虽然跆跟主要通过口传方式传承，但其历史踪迹仍可通过各种记录、绘画和照片追溯。然而，具体技术的确认仍需依靠非物质文化遗产传承人宋德基 (1893-1987年)。1983年，跆跟被指定为第76号重要非物质文化财产，2011年被联合国教科文组织列入非物质文化遗产名录。跆跟作为一种脚技术对抗性民间竞技沿袭至今。在比赛中，胜者需要在一定距离内用脚踢或击中对手头部上方 (上头，即韩国传统男子发髻)。技术细节包括步法、摆臂、踢法和擒拿等，这些技术在不伤害对手的前提下决定胜负。古法跆跟是一种特殊的揉合各种步法和手法的近距离攻击和防御武艺，由师圣宋德基传承下来。从最近公开的技术细节和比赛规则来看，跆跟与跆拳道有所不同。尽管如此，跆拳道从一开始就强调跆跟的核心特征——以踢为主的对抗，因此可以认为跆拳道与跆跟密切相关。在日本殖民统治时期及随后的解放时期，跆跟作为一种武艺在首尔都市圈得以保留。此后，发展出现代跆拳道的五大馆 (流派) (如青涛馆、武德馆和基督教青年会拳法部) 的创始人们意识到了跆跟的价值。他们以跆跟为基础，专注于发展踢技，旨在复兴韩国传统武艺，进而塑造了现代跆拳道的风貌。因此，在更广泛的背景下，跆拳道可以被视为一种继承了跆跟关键特征的武艺运动。

如刘淑的《大快图》所示，跆跟和摔跤是端午节期间的民间游戏(来源: 韩国首尔大学奎章阁韩国学研究院)。

1971年，大韩跆拳道协会任昌洙师范与跆跟的传奇大师和宋德基一起表演了跆跟的两脚连续踢。

(4) 日本殖民统治下的外国武术 (1910–1945年)

从1910年韩国失去主权到1945年解放的35年时间被称为日本殖民时期。在日本殖民统治初期，日本皇军的军事警察部队掌握着权力。自1937年第二次中日战争爆发以来，作为种族灭绝政策 (消除文化) 的一部分，武艺文化如跆跟和石战受到压制。在这个时期，跆跟这种村与村之间举行的民间竞技显著萎缩。日本人向韩国介绍了柔道和剑道。日本帝国主义专注于殖民化，并在武艺技巧之外，还强加给韩国人皇帝崇拜和信仰神道教的义务。传统武艺如跆跟勉强存活下来。位于韩半岛北部的满洲开放后，许多韩国人移民到那里形成韩国社区。在此期间，尹炳仁 (1920 - 1983年) 和黄琦 (1914 - 2002年) 学习了在满洲流行的中国武艺，如短拳、长拳、土照山、太祖拳和八极拳。韩国解放后，这些中国武艺被纳入了五大馆的武艺技术。

在日本殖民统治后期，一些年轻的韩国人在日本学习了几年，学习了从冲绳引进的空手道，当地称为 "toodi"。学习空手道的韩国学生包括李元国 (1907 - 2003年)、卢秉直 (1919 - 2015年)、尹炳仁和田祥燮 (1921 - 1950?年)。他们的教师是一位冲绳武艺大师。尽管他们只学习了几年空手道，但他们掌握的技术相当于三段和四段的水平。当第二次世界大战即将结束时，他们返回韩国，并在韩国解放后建立了五大馆。这样，在日本殖民时期，当传统韩国武艺受到压制时，外国武艺被引入韩国。这为新的开始提供了机会。

3 现代跆拳道史

现代跆拳道始于1946年，即韩国国家解放一年后，并持续发展至今。最初，韩国人在接触到外国武艺后，创建了五大馆（流派），这标志着现代跆拳道的诞生。随着五大馆的不断壮大，受跆跟启发的踢技在晋升考试和示范中得到了发展，逐渐确立了跆拳道独特的韩国特色。基于跆跟的精神，正式名称"跆拳道"最终被采用，标志着现代跆拳道早期发展阶段的开始。到了20世纪60年代，随着一些跆拳道师范移居海外，官方国际跆拳道联合会应运而生。通过实施官方晋升考试、正式化实战比赛和公认品势的建立，跆拳道作为一种现代武艺形式的基本体系逐渐确立。在20世纪70年代，跆拳道界以国技院为中心实现了统一，并创建了世界跆拳道组织。这为跆拳道后续的飞速发展奠定了基础。2000年悉尼奥运会上，跆拳道被选为正式比赛项目，从而进入了更高的发展阶段，成为了世界级武艺运动。

1 — 跆拳道初期（1946–1960年）

解放后不久，韩国人开始吸收外国武艺，为五大馆的建立奠定了基础。跆拳道以跆跟技术为灵感，发展出以踢技为核心的独特技术，逐渐展现出其韩国特色。五大馆成立初期，就有人提议创建一个跆拳道协会。韩战后，随着各种道馆的兴起，"跆拳道"被选为官方名称，同时成立一个综合性协会的计划也被纳入议程。从五大馆成立之年（1946年）到开始推动协会成立（1960年）的这段时期，被称为"现代跆拳道的早期阶段"。

(1) 五大馆的成立（1946–1947年）

20世纪初，随着1910年《韩日并合条约》的签订，韩国的各个文化领域陷入了黑暗时期。1945年，韩国摆脱了日本统治，各个文化领域包括武艺开始焕发新的生机。韩国人引入了"拳法"和"空手道"（唐手，空手）等外国武艺技术，并创建了象征现代跆拳道起源的五大馆。

现代跆拳道始于1946年1月，源于五个模范馆（基础流派），包括青涛馆、朝鲜研武馆拳法部、基督教青年会拳法部和松武馆，其中青涛馆发挥了主导作用。五大馆被称为基干道馆或五大馆，它们在现代跆拳道的诞生中发挥了核心作用。五位创始人都是韩国人，他们将童年时期的玩耍和打斗，以及跆跟中的踢技特点和才能融入跆拳道。他们积极参考各种传统武艺形式，有目的地改进和补充技术，将其发展成为具有韩国风格的武艺形式。由于他们在相对较短的时间内获得了武艺技术，因此并未达到完全掌握的水平，为此付出了更多的努力。

1946年，李元国在首尔创立了青涛馆。据口头传说，李元国在日本求学期间，利用课余时间进行了五年的空手道练习，取得了四段。在青涛馆成立后不久，田祥燮在首尔小公洞创立了朝鲜研武馆拳法部。朝鲜研武馆拳法部的创立日定为1946年3月2日。次年年初，龙山铁路局成立了武德馆。创始人黄琦将他在满洲居住期间学到的拳法、自学并实践的传统脚法，以及空手道相结合，建立了武德馆。

1947年9月，首尔的基督教青年会拳法部和开城的松武馆相继成立。尹炳仁创立了基督教青年会拳法部，他在满洲学习了包括使用剑、棍、飞镖等武器的武艺，并在日本学习了空手道。出生在开城的卢秉直，在开城柔道学校的基础上，根据他在日本学习期间获得的空手道技术，创立了松武馆。以下表格提供了关于五大馆的详细信息。

五大馆创立的具体情况

五大馆	创始人	成立日期	成立地点	备注
青涛馆	李元国	1946/1/15	首尔 侍天教寺庙	青涛馆在韩战后继续运营，但出现了如吾道馆、正道馆、国武馆和忠龙馆等派系
朝鲜研武馆 拳法部	田祥燮	1946/3/2	首尔朝鲜研武馆	韩战后，朝鲜研武馆拳法部解散，但其精神和风格被智道馆和韩武馆所继承。
武德馆	黄琦	1947年初	首尔铁路局	在五大馆中，武德馆的会员最多，影响力最高。武术名称经历了唐手道、花手道和手搏道的变化。
基督教青年 会拳法部	尹炳仁	1947/9/1	首尔基督教青年会	韩战后，基督教青年会拳法部解散，并分为彰武馆和讲德院。
松武馆	卢秉直	1947/9/20	开城南部柔道馆	韩战后，松武馆将基地迁至首尔，并继续开展活动。

1946年5月，为纪念青涛馆的首次晋级考试而拍摄的第一张关于现代跆拳道早期发展的照片。创始人李元国和他的第一代弟子们因为这次纪念活动齐聚一堂。

1947年3月，为纪念朝鲜研武馆拳法部成立一周年而拍摄的照片。根据相关记录，确切的成立日期为1946年3月2日。

(2) 五大馆的活动 (1946–1950年)

五大馆的主要活动包括修炼、晋升考试和示范。他们开展了各种修炼项目和活动,包括夏季和冬季的常规和特别修炼项目,定期和特别晋升考试,以及武艺技巧的演示活动。每个馆都促进了跆拳道的传播和扩展。各馆的修炼者不仅提高了技术,还发展了新的技术。在馆之间的竞争中,优秀的修炼者得到积极培养和修炼。1950年6月韩战爆发,五大馆时代戛然而止,仅持续了不到五年。但它们在塑造现代跆拳道方面发挥了关键作用。

除了常规练习,青涛馆每6个月举行一次定期晋升考试,特别考试10次。它举办了7次大型演示活动,大力进行武艺推广。朝鲜研武馆拳法部在常规修炼之外还举行了夏季和冬季的特别修炼项目,并举办了9次段/级晋升考试和8次武艺比赛。武德馆通过晋升考试和示范以及常规修炼,提高了修炼者的技术,并开发了新技术。首次晋升考试与青涛馆的第三次晋升考试共同进行,武德馆的晋升考试一直持续到第七次考试。1949年,武德馆将其武艺名称从"唐手道"改为"花手道",并出版了韩国第一本现代教材。

基督教青年会拳法部除了常规修炼外,还举行了特别的夏季和冬季修炼项目。共进行了七次常规和临时考试以进行段/级晋升。1949年,基督教青年会拳法部的首次示范活动在邮政部和政治学院(现为建国大学)等四个分支机构的参与下成功举行。1947年,松武馆在开城市成立,举办了一场纪念其成立的武艺比赛,并在第二年举行了一场庆祝成立一周年的武艺示范比赛。韩战后,松武馆搬迁至首尔。

1947年6月,在首尔基督教青年会礼堂举行了第一届青涛馆示范比赛。这是韩国首次向公众开放的武艺演示活动(来源: 郑顺天的网站)

1948年11月,基督教青年会拳法部(创始人: 尹炳仁)的第三次晋升考试纪念照片。照片上的文字写着: "彰武馆"。

(3) 新技术的发展 (1947-1950年)

随着时间的推移, 五大馆的武艺技术不断发展, 逐渐摆脱了以往以增强力量、强力击破和品势为中心的传统修炼方法。单调地仅训练手臂技术, 如拳头、刀手和肘部的力量, 以及面向预先计划的防御和攻击方式 (套路和品势) 的古典武艺技术, 实用性有限。甚至脚技术, 如前踢也不超过腰部的高度。保持较低的姿态, 虽然使身体更稳定并增加力量, 但动作缺乏灵活性, 这是一个致命的缺陷。因此, 在各馆独立采用的段/级晋升考试的灵活示范和自由搏击中, 传统的修炼原则和方法效果格式错误。

针对这些局限性, 五大馆在自由搏击和示范中发展具有更高技术难度和更多样化的踢技。在发展新技术的过程中, 为兼顾韩国的民族特性, 参考了以踢技为中心的跆跟。结合韩国学员的天赋和能力, 新技术的发展迅速取得进展。在晋升考试或外部宣传示范中, 以直接击中对手为目的, 自由搏击积极使用了以踢技为中心的新技术。根据每个修炼者的才能而开发出的踢技和步伐灵活多变, 在晋升考试、实战和示范中得到使用。

各馆在积极转变以建立韩国武艺身份方面逐渐取得了进展。正因为如此, 基督教青年会拳法部在1948年的一则招募修炼者的报纸广告中采用了 "跆跟" 一词, 而武德馆则以取自花郎道的 "花", 将本馆武艺命名为 "花手道"。各馆还在教材中纳入韩国风格的踢技。在20世纪60年代, 作为朝鲜研武馆拳法部的继承者, 智道馆在一场与日本空手道队的比赛中, 通过踢技击败了对手。这些多样化且富有活力的实战和示范技术逐渐使五大馆的武艺融入了韩国特色和身份。

1949, 《花手道教本》引入了来自花郎道的 "花", 并详细描述了各种韩国踢技, 包括后踢。后踢的照片摘自1959年出版的《唐手道教本》。

在1954年的青涛馆示范比赛中, 一位跆拳道运动员用腾空横踢攻击对手。自五大馆的早期开始, 以踢技为中心的实战和示范不断发展。

(4) 制定'跆拳道'名称 (1951–1960年)

1950年6月, 韩战爆发, 使五大馆发生了重大变化。战争使得大多数创始人去世、被绑架或遭受严重伤害。这导致五大馆的瓦解。战后, 各馆的继承者创建了新道馆, 全国范围内新道馆的建立和发展呈现混乱状态。战后, 包括九个主要道馆在内, 全国共有约20个不同规模的道馆, 关联的跆拳道学校数量高达数百所。道馆的无序发展源于朝鲜战争期间五大馆的没落和解体。青涛馆、朝鲜研武馆拳法部和基督教青年会拳法部的三位创始人失踪或离开了韩国。武德馆勉强存活, 松武馆作为难民搬到首尔, 在重建过程中遭遇种种困难。上述三大馆均失去了领导人。因此, 他们的弟子们继承了道馆或者创建了新的道馆。以朝鲜研武馆拳法部为例, 智道馆成为主要继承者, 韩武馆则分离出去。对于基督教青年会拳法部, 彰武馆成为主要继承者, 讲德院则发展为独立派别。青涛馆分裂为三个派别。主流人物继承了青涛馆, 其他人则新建立了正道馆和吾道馆。在吾道馆的例子中, 军事将领崔泓熙从青涛馆招募了有才能的学员, 以军事基地为中心扩大他们的势力。正如上述案例所示, 九个主要道馆以及全国范围内的许多小型道馆都经历了激烈的生存竞争。

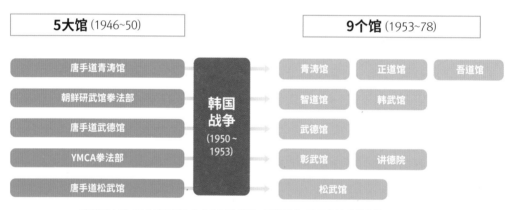

在韩战之后, 五大馆分裂为九个主要的道馆。累计起来, 全国各地分散着数百个道馆。

(5) 制定'跆拳道'名称 （1955年）

　　1955年, 崔泓熙和南泰熙提议使用跆拳道这一名称, 以继承韩国传统武艺跆跟。崔泓熙 (1918 - 2002年) 是国际跆拳道联盟的创始会长, 同时也是跆拳道名称的主要支持者。作为韩国陆军将领, 他为跆拳道的创立和发展做出了重要贡献。崔泓熙自幼学习跆跟, 并在日本留学期间学习空手道。解放前不久, 他回到韩国, 成为陆军军官, 并在十年内晋升为少将。1954年, 时任总统李承晚在观看崔泓熙和南泰熙举办的唐手道示范后惊叹道: "那是跆跟, 韩国拥有悠久历史的武艺!" 这一轶事被认为是跆拳道名称诞生的关键事件。

　　总统关于跆跟的评论激发了崔泓熙和他的副手南泰熙继承和发展跆跟的信念, 而跆跟是一种以踢为主的韩国传统武艺。他们注意到 "跆" 和 "拳" 这两个字与韩语 "跆跟" 的发音相似, 于是创造了新的武艺名称 "跆拳道", 意为 "现代跆跟"。1955年, 在青涛馆顾问委员会上, 崔泓熙提议将 "跆拳道" 作为融合了各种现有武艺的韩国武艺的新名称。

　　崔泓熙强调, '跆' 表示跳跃或踩脚, 与 '拳' 结合, 名称体现了武艺使用双脚和拳头的特点, 同时暗示了这种武艺的历史意义, 因为其与跆跟在发音上有相似之处。" 顾问委员会的与会者表示同意, 随着这个名字获得了李承晚总统的正式批准, 跆拳道的名字逐渐在全国范围内传播。现有的名称如唐手、空手、拳法和手搏等都强调以手法为主的武艺, 而使用 "跆" 这一含有步法意义的字与传统名称有很大区别。

1956年7月, 青涛馆举办的第14届跆拳道示范比赛。这是报纸上使用跆拳道这个名字的第一个历史记录(《朝鲜日报》, 1956年7月31日)。

1959年9月和10月首次面世的两本跆拳道教材。左边的教材是为韩国军事学院学员教育而准备的。右边的教材由为跆拳道命名的崔泓熙主任亲自编写。

(6) 协会的促进 (1947-1960年)

自五大馆创立之初, 各界有志之士便寻求成立一个负责处理各馆共同事务的协会。其中最紧迫的问题是官方升段考试。当时各馆独立开展晋升考试, 缺乏系统性, 另外段位证书的发放也迫切需要统一和简化。然而, 为五馆建立统一协会的努力受到了各种技术细节的阻碍, 如为每个馆创始人分配适当的职位和段位, 晋升考试规则和办公场所费用的分摊。

1950年韩战爆发时, 五大馆经历了巨大变化。除武德馆和松武馆外, 其他三馆都失去了领导, 每个馆的学员中有影响力的人物成为继任者。因此, 新一代领导人走马上任。

在韩战期间, 一些领导人组织了协会, 但由于协会成员间不够团结, 协会最终只能解散。1959年9月, 在崔泓熙主任的领导下成立了大韩跆拳道协会, 但由于拥有最大会员和影响力的武德馆和青涛馆相继退出协会, 这个协会也没有持续多久。此后, 武德馆成立了"大韩手搏道协会", 并独立向教育部注册。然而, 两个类似协会的审批因故取消, 因此未能形成统一的协会。

1946年11月10日的第二次晋升考试中, 五大馆的四位创始人齐聚一堂。从左到右, 松武馆创始人卢秉直; 跳过一个人, 基督教青年会拳法部创始人尹炳仁; 朝鲜研武馆拳法部创始人田祥燮; 青涛馆创始人李元国。

1947年5月11日, 青涛馆的第三次晋升考试与武德馆共同举行。在照片中, 穿西装坐在前面的人从左到右依次是, 松武馆创始人卢秉直; 青涛馆创始人李元国; 武德馆创始人黄琦(来源: 跆拳道时报)。

2 —— 跆拳道的统一（1961–1970年）

在20世纪60年代初，韩国历史上的两个重大事件——4月19日革命和5月16日军事政变为跆拳道界实施改革提供了契机。随着新政府的建立，各领域类似组织整合形成统一组织的努力得到实质性推动，打破了以往长期停滞不前的局面。这使得跆拳道的官方协会得以成功成立。新成立的协会负责统一管理升段考试。1963年，第44届全国运动会将实战项目列为正式项目。此外，协会还采纳了晋升考试中品势的新内容。在20世纪60年代，跆拳道开始向海外传播，逐渐在亚洲、欧洲和美国扩展影响力。

(1) 统一官方协会的成立（1961年）

韩国政治局势的剧变为跆拳道解决长期问题提供了契机。期待已久的官方协会终于成立，对于混乱的跆拳道界来说是一次重大事件。4月19日革命和次年5月16日的军事政变对跆拳道界产生了重要影响。根据军事政府的法令，社会组织进行了重新注册，教育部急于实施类似组织的统一。教育部推动建立一个统一协会，对分散的道馆进行集成管理，并举办新型徒手武艺比赛，以推动将这些比赛纳入现有的体育运动体系。然而，跆拳道、手搏道、唐手道和空手道等不同名称之间存在冲突，每个馆都有不同的利益和优先事项，这些增加了建立统一协会的困难度。尽管面临这些挑战，1961年9月，"大韩跆手道协会"终于成立。"跆手道"是将跆拳道的跆（踏）和手搏、唐手、空手的手结合起来的妥协决定。次年，大韩跆手道协会获得韩国体育和奥林匹克委员会官方组织资格批准，成为名副其实的体育组织。

在大韩跆手道协会中，关键职位由来自各馆的30多岁的年轻领导人担任，其中包括副会长严云奎（青涛馆的师圣）和李钟宇（智道馆的师圣），以及执行董事李南石（彰武馆的师圣）。成立于1961年的大韩跆手道协会作为跆拳道界的中央机构，负责实施官方升段考试，并将这项运动确立为全国体育大会正式比赛项目。

在协会的推动下，实施了官方升段考试和将实战纳入全国体育大会的正式项目。圆圈内的人物是蔡命新将军，他于1962年底担任大韩跆手道协会第一任会长。

(2) 实施官方升段考试 (1962年)

　　大韩跆手道协会的首要任务是统一实施原本由各馆单独进行的"升段考试"。这是大韩跆手道协会的重大问题, 因为由于相互竞争, 每个馆段位证书的颁发相当任意。各馆的武艺名称不同, 如唐手道、空手道、手搏道和跆拳道。使用的技术也很混乱, 如在品势和实战方面。为了解决这个问题, 大韩跆手道协会组建了一个评审小组, 对品势、实战和击破进行标准化。当形成了一个综合性的协会, 即大韩跆手道协会, 就有可能开始适当地实施官方晋升考试。1962年11月, "第一届官方段位晋升比赛"举行。这是大韩跆手道协会举办的第一次官方晋升考试。官方晋升考试的项目包括: 品势、实战和撰写研究论文 (三段及以上)。早期, 品势包括了所有空手道形式, 如平安、铁骑、拔塞和十手; 满州拳法形式, 如短拳、长拳和八极拳; 以及由崔泓熙创立的常翰流形式, 如花郎、阶伯、忠武、乙支、三一等。段位晋升的申请人需段位相应的品势中选择两种类型的品势。实战自由进行, 但比赛时需佩戴防护装备。

　　三段及以上段位的申请人提交一篇研究论文 (书面报告)。第一篇论文的题目是"为各跆拳道馆的不同形式 (品势) 实现统一发展"。从研究论文的题目可以看出, 当时, 大韩跆手道协会非常关注在各馆中不同练习方式的品势的统一。

1962年, 经统一的协会(大韩跆手道协会)首次进行"第一届官方段位晋升比赛"的晋升考试手册和现场照片。晋升考试后, 现场立即举行了段位证书颁发仪式。(资料来源: 美国金炳洙师圣)

(3) 跆拳道实战被指定为正式项目 (1963年)

1963年在全州举行的第44届全国体育大会上, 跆手道 (跆手道) 实战被列为正式项目, 这是现代跆拳道历史上的一个重要里程碑。在前一年的大邱第43届全国体育大会上, 跆拳道 (跆手道) 实战作为表演项目。1963年, 从正式指定为比赛项目开始, 穿着防护装备的直接打击法和专注于踢法的实战得到确立。这是一个重要的转折点。它将跆拳道由预定套路的规范化实战转变为一种着重培养实践反应能力的自由式实战运动。以跆跟为基础, 跆拳道这一独特的韩国徒手武艺形式以踢技为核心, 从而确立了其特有的身份。

在跆拳道实战比赛中, 用于确定胜者的"比赛规则"和保证运动员安全的"护具"非常重要。穿着防护装备和直接打击型比赛使运动员能够形成实际能力, 以避免或阻挡对手的攻击和发动反击。跆拳道运动员能够提升身体力量和能力, 凭借瞬间反应的敏捷度、耐力和心理力量, 迅速捕捉对手的弱点, 进而发动迅猛攻击。这些是在建立海外跆拳道道馆时, 与其他武艺技术进行竞争时常能表现出的优势和优点, 进而帮助增强竞争力。在比赛和竞赛中, 重视踢技作为主要得分技术, 有助于建立一个反映韩国性格和优势的韩国武艺形式。通过将跆拳道实战设为正式项目, 跆拳道得以超越传统武艺形式, 成为一种现代化格斗运动。

 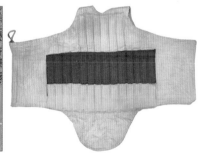

在1963年, 跆拳道被选为第44届全国体育大会的正式项目。左边的图片展示了用于全国体育大会的介绍手册, 右边的图片展示了跆拳道比赛参赛者穿戴的躯干防护装备。

左图是在全国体育大会上拍摄的跆拳道实战比赛场景。右图是一枚跆拳道邮票(1969年), 邮票上的插图生动地展示了跆拳道动作的特点。

(4) 公认品势的确定 (1967-1972年)

1967年11月30日, 大韩跆拳道协会发布了17种用于有级者 (彩带) 和有段者 (黑带) 的 "品势" (当时称为 "形")。这是大韩跆拳道协会品势设立委员会两年来的成果。有级跳的八卦品势包括从1到8章的八种类型。有段者的品势有九种: 高丽 (1字形)、新罗, 百济, 十进, 太白, 金刚, 地跆, 天拳和汉水。每种品势分别对应第一到第九段。12月, 为了推广新设立的品势, 举行了一次高级有段者研讨会。然而, 在实施新品势过程中, 涉及命名和难度水平等各种问题不断被提出。新品势需要进行修改和补充。品势中有很多国家名称, 如百济和新罗。因此, 百济被更名为平原, 新罗被更名为一如。高丽品势的演武线从 "1" 的形状改为 "士" (韩语读作 "seonbi", 意为 "博学之士"), 并考虑到难度水平, 最终确认了从高丽 (第一段) 到一如 (第九段) 的品势排序。1972年, 大韩跆拳道协会技术委员会成立了旨在确定品势和跆拳道术语的分委会, 为小学、初中和高中的课程增加了八种类型的有级者太极品势。自1974年以来, 太极品势一直与八卦品势并行用于官方升段考试。然而, 由于八卦的哲学意义减弱、与动作之间的联系不紧密以及与空手道平安套路的相似性, 八卦品势于1988年被废除。

1972年, 大韩跆拳道协会编辑的第一本跆拳道教材。委员会成员花了几年时间才完成品势的开发和推广。

1975年世界跆拳道第二届世界锦标赛上, 世界跆拳道出版的一本英文教材的封面以及太极8章。教材的开始部分包含了适合青少年的太极品势。

(5) 海外师范的积极贡献（1961年至今）

在海外的跆拳道师范为将跆拳道发展成世界级武艺发挥了关键作用。海外师范为全球各地的人们提供了实用的护身术和身心锻炼的机会。跆拳道的价值，如礼仪、正义、勇气和忍耐，深受崇尚个人主义特质的西方学习者欢迎。海外跆拳道师范们视跆拳道为综合素质教育的重要内容，目标并非仅限于武艺技术。这些师范们积极参与群体活动，在教授跆拳道的过程中传播韩语，同时将韩国饮食、韩服以及其他韩国生活方式的因素介绍给外国学习者，充当了民间外交官的角色。

海外跆拳道师范的历史始于20世纪60年代，迄今已有60多年的传承。在早期，师范们通过出国留学或接受就业机会，将跆拳道传播到海外。在众多海外跆拳道师范中，李俊九在美国的影响尤为显著。1958年，他在德克萨斯州的一所大学成立了跆拳道俱乐部，并开始教授此项武艺。1962年，美国首都华盛顿特区迎来了第一家跆拳道道馆。自那时起，大量韩国师范在世界各地积极教授和传播跆拳道，其数量之多令人难以计数。

许多跆拳道师范应其他国家政府的邀请，由大韩跆拳道协会正式派遣。在早期，外国警察部门、情报机构、军事单位和安全办公室纷纷邀请跆拳道师范，以提高工作人员的武艺技术。例如，1964年应越南政府要求，10名跆拳道师范被派往越南。随着跆拳道逐渐成为国际比赛中的一项体育赛事，对师范的需求变得更为迫切。这促使韩国国际协力团更为频繁且积极地派遣跆拳道师范。这些海外师范为跆拳道在全球范围内的传播做出了重大贡献。

1995年，韩国国家解放50周年之际，一个海外跆拳道师范团队访问了国技院，受到了世界跆拳道理事会成员的欢迎。

3 — 飞跃性发展 (1971–1985年)

从1971年开始的15年间, 在大韩跆拳道协会的领导下, 跆拳道在国内外实现了显著发展。在这一时期的早期, 总统题词 "国家体育跆拳道" 展示了总统对跆拳道的重视, 从而加强了跆拳道在国内的地位。随后, 国技院成立, 世界跆拳道锦标赛得以举办, 使得跆拳道加入国际单项体育联合会总会。因此, 在国技院成立仅两年后, 跆拳道便成为国际体育界的一部分。根据教育部的政策, 跆拳道被列入小学、初中和高中的正式公共教育课程。作为流行文化中一个引人关注的主题, 跆拳道得以扩大基础并巩固其地位。同时, 随着一些大学设立跆拳道系, 跆拳道学术理论的研究得以开展。在此期间, 国技院实现了各个馆的完全整合, 并设计了新的跆拳道道服。在这短短的时间内, 跆拳道在世界范围内的显著增长, 还要归功于海外师范对跆拳道全球传播的积极推动。

(1) 大韩跆拳道协会的机能强化 (1971年)

1971年, 金云龙开始担任大韩跆拳道协会会长, 为跆拳道界的改革铺平了道路。各馆的指导者作为大韩跆拳道协会的执行官, 以会长为中心团结起来, 进一步推动跆拳道的发展。1971年3月, 总统题词 "国家体育跆拳道" 提升了跆拳道在韩国的地位。大韩跆拳道协会开始出版名为 "跆拳道" 的季刊, 积极记录和推动跆拳道的发展。这是韩国体育和奥林匹克委员会旗下各项运动中, 首本关于单项运动的杂志。此时, 跆拳道中心 (现国技院) 的建设完成, 成为大韩跆拳道协会的中心道馆。

一系列悬而未决的任务, 如比赛和考试、师范教育以及在国内外传播跆拳道, 都得到了明确的界定。为了促进各项任务有效开展, 大韩跆拳道协会的每位执行委员都被分配了特定任务。同时, 还进行了额外的项目, 解决跆拳道发展中的诸多问题, 包括改进比赛和裁判方式、实施技术改革、确立跆拳道的历史地位、进行科学研究、建立系统化的修炼和指导方法以及制定教材。由于跆拳道被纳入小学、初中和高中的课程, 次年成立了大韩跆拳道协会技术委员会。官方的 "跆拳道教材" (品势篇) 完成编写并出版。

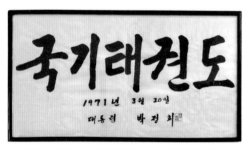

总统题词 "国家体育跆拳道" 迅速提升了跆拳道的地位。

1971年大韩跆拳道协会出版的《跆拳道》季刊的第一期和1972年成立的大韩跆拳道协会技术委员会执行委员会。

(2) 国技院的创建 (1972年)

国技院既是跆拳道中心道馆的场所, 也是负责处理所有跆拳道相关事务的管理组织。国技院场所的建设于1972年11月30日完成。在奠基典礼后一年, 这座地下一层, 地上三层, 占地约36平方英尺的建筑竣工。建造这座建筑的目的是为跆拳道比赛、官方段/品位晋升考试、师范培训和实施跆拳道全球化项目提供专门场所。起初, 该建筑被称为 "大韩跆拳道协会中央道馆", 三个月后, 1973年2月6日, 它更名为 "国技院"。

根据《协会章程》(2021年), 国技院作为跆拳道管理组织的目的是: "通过传承和发展跆拳道的精神和技术, 推广韩国文化遗产跆拳道的文化和价值观, 提高韩国在国际上的地位, 并为人类的和平作出贡献。" 作为跆拳道的中心组织, 国技院通过组织和提供资格培训课程, 如师范教育项目、品/段晋升考试修炼和跆拳道比赛裁判培训, 成为了跆拳道发展的支柱。此外, 它还主办品/段晋升考试和世界跆拳道hanmadang。关于国技院的详细历史如下所述。

国际院全景: 左侧为1972年建设中的国技院周边荒凉景象, 右侧为现在的国技院观景。

照片展示了国技院九段晋升考试的情景。五名考官负责一个考生, 确保考试公平、全面。

国技院世界跆拳道研修院成立于1982年, 开设各种资格课程, 包括国际跆拳道师范资格课程和残疾人跆拳道师范课程。

"国技院跆拳道示范团" 成立于1974年。1975年, 15岁以下人士的 "段" 级别被改为 "品"。自1980年起, 国技院开始进行品/段晋升考试并颁发证书。1982年, 跆拳道指导者研修院 (现世界跆拳道研修院) 成立。次年, 该学院被指定为跆拳道官方培训机构。1987年2月, 跆拳道术语的官方语言被指定为"纯韩语"。1987年11月,《跆拳道教本: 韩国国家体育》出版。1991年, 跆拳道纪念馆在国技院开放, 游客现在可以通过陈列物品, 了解跆拳道的历史和文化。2006年, "跆拳道研究所" 在国技院成立。自2007年起, 国技院开始为赴韩国的外国游客举办 "跆拳道体验课程和跆拳道文化表演"。自2009年起, 作为发展国际关系与合作的一部分, 实施了 "跆拳道友谊培训计划 (文化合作项目)", 以建立 "跆拳道修炼者之间的团结"。2010年5月, 国技院的注册地位发生变化, 成为特殊法人。自2011年起, 在与首尔市政府的合作下, 每年举办一次 "全球跆拳道指导者论坛"。2013年, 国技院大楼被选为 "首尔未来遗产"。

为进一步弘扬跆拳道精神, 师范们被派往53个国家, 旨在 "广泛造福人类世界 (人道主义)"。为了传播跆拳道技术, 进行了跆拳道品势教育的海外巡回计划。国技院的跆拳道全球化政策推动了跆拳道成为奥运官方项目, 并通过不断增加和扩大受训人数的基础来维持其地位。国技院作为世界跆拳道总部, 已在全球范围内培养了超过1100万品段持有者, 巩固了其声誉。

2019年, 国技院示范团在CBS电视台的一场名为 "世界最佳" 的比赛中, 表演精彩, 获得了第二名。

自2011年以来, 在首尔市政府的合作下, 国技院每年都举办一次 "全球跆拳道指导者论坛"。

(3) 世界跆拳道锦标赛的创立 (1973年)

1973年是跆拳道历史上的重要时刻, 因为这一年, 跆拳道比赛迈出了全球化的第一步。当年5月25日至27日, 在韩国首尔的国技院举办了第一届世界级韩国体育比赛。来自16个国家的161名运动员参加了比赛。团体和个人比赛分开进行。韩国获得了第一名, 美国获得了第二名, 中国台湾和墨西哥并列第三名。当时确定世界跆拳道锦标赛每两年举办一次, 第二届于1975年在首尔举行, 第三届于1977年在美国芝加哥举行, 第四届于1979年在德国斯图加特举行, 第五届于1982年在厄瓜多尔瓜亚基尔举行, 第六届于1983年在丹麦哥本哈根举行, 第七届于1985年在韩国首尔举行, 第八届于1987年在西班牙巴塞罗那举行。在第八届锦标赛期间, 设立了女子公开组比赛, 第一届世界跆拳道女子公开锦标赛于1987年在巴塞罗那举行。最近的比赛是2019年在英国曼彻斯特举行的第24届世界跆拳道男子锦标赛和第17届世界跆拳道女子锦标赛。

1973年首届世界跆拳道锦标赛在国技院举行, 来自16个国家的161名运动员参加。左图显示了比赛的场景。选手们穿着由聚氯乙烯制成的新型躯干保护装备。右图是一张锦标赛宣传海报。

1975年举办第二届世界跆拳道锦标赛的首尔奖忠市立体育馆的外观, 以及韩国作为主办国发行的纪念邮票。

(4) 世界跆拳道联盟的成立 (1973年)

1973年首尔举办了第一届世界跆拳道锦标赛后, 世界跆拳道联盟于1973年5月28日成立。世界跆拳道联盟是一家负责处理跆拳道在奥运会和世界跆拳道锦标赛等国际体育赛事中的国际事务的管理组织。国技院院长金云龙是世界跆拳道联盟的创始主席。世界跆拳道联盟在推动跆拳道比赛全球化方面发挥了关键作用。其首要任务是推动跆拳道成为奥运会的永久性正式项目。1974年5月, 举办了第一届国际裁判员研讨会。在研讨会上讨论并决定了国际跆拳道比赛涉及的所有必须处理的事项。

世界跆拳道联盟的目标如下: "首先, 通过会员国之间的协调发展, 提高跆拳道技术, 增进国际友谊。其次, 鼓励各个层次的竞争, 包括业余和非专业人士之间的竞争, 促进会员协会工作人员和跆拳道运动员之间的相互了解和友谊。第三, 世界跆拳道联盟可以为国家会员协会提供指导, 并可以派遣经过认证的国际师范。第四, 监督国家会员协会, 确保其规章制度得到正确执行。第五, 世界跆拳道锦标赛、各大洲跆拳道锦标赛和其他国际比赛必须经世界跆拳道联盟批准和监督。"

2004年, 赵正源被任命为世界跆拳道联盟新主席。2017年, 世界跆拳道联盟的英文名称被更改为"世界跆拳道"。通过跆拳道关爱计划和跆拳道人道主义基金会开展人道主义活动, 以支持贫困和弱势群体。2021年11月, 梵蒂冈作为会员协会获得批准, 总会员数达到211个。这确立了跆拳道作为全球主要体育赛事的地位。

1973年, 世界跆拳道联盟举行成立大会, 17个国家的35名代表在国技院大门外拍照留念

2021年, 世界跆拳道共有211个会员。跆拳道已成为世界主要体育项目之一。

(5) 跆拳道纳入公共教育课程 (1973年)

1973年, 韩国教育部将跆拳道纳入小学、初中和高中体育课程。这标志着跆拳道作为儿童和青少年体育项目的确立。跆拳道和太极品势进入公立小学、初中和高中体育教材。太极一章和二章分别出现在五年级和六年级的体育教科书中。跆拳道修炼内容被纳入初中和高中体育教科书。1972年, 为了响应教育部推动将跆拳道纳入小学、初中和高中公共教育课程的努力, 专门为小学、初中和高中学生创建了八种太极品势。从1974年开始, 太极品势与八卦品势在升段考试中可互换使用。然而, 由于八卦品势在1988年被废除, 对于有级者开始使用"品势"一词。

从1971年开始, 作为教育部精英体育推广政策的一部分, 首尔体育中学成立, 全国各城市和省份也逐步设立同类中学。这些学校旨在通过早期发现包括跆拳道在内的各项比赛的杰出运动员, 培养有竞争力的国家运动员和体育大师。同年, 首尔初高中生体育大会成立。1972年, 全国青少年体育大会成立, 其中包括跆拳道项目。1974年, 从首尔体育高中开始, 各省和大城市相继开始建立体育高中。1977年, 韩国国立体育大学成立, 招收专业跆拳道运动员入学。

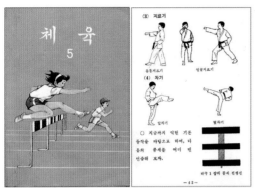 

1973年, 政府将跆拳道纳入小学、初中和高中的公共教育课程。这促进了跆拳道基础的扩大。左图展示了小学五年级体育教科书中"太极品势一章"的内容。右图展示了高中体育教科书《格斗体育》中关于跆拳道的介绍。

(6) 加入国际单项体育联合会总会 (1975年)

　　世界跆拳道于1975年加入国际单项体育联合会总会, 首次成为国际体育界的一员。这对跆拳道成为一项知名国际体育运动起到了催化作用。世界跆拳道此前是一个自愿的国内组织, 在成立仅两年后就获得了国际单项体育联合会总会的正式会员资格。国际单项体育联合会总会于1967年在瑞士洛桑成立, 旨在加强国际体育组织之间的紧密合作和促进共同利益。国际单项体育联合会总会是一个国际组织, 举办与奥运会相媲美的世界运动会, 成员包括国际足球联合会在内的60个国际体育联合会。

　　凭借加入国际单项体育联合会总会这一跳板, 跆拳道在次年获得国际军事体育理事会的批准。1980年, 国际奥委会在莫斯科举行的大会批准跆拳道成为奥运会的正式比赛项目。同年, 首届国际军事跆拳道比赛在首尔举行, 共有15个国家参加。这是自国际奥委会批准后的第一次官方国际跆拳道比赛。1978年, 首尔举办了世界预赛, 三年后, 美国圣克拉拉举办了正式的世界运动会。1986年, 世界杯跆拳道锦标赛在美国科罗拉多州斯普林斯成立并举行。从这些例子中可以看出, 跆拳道确立了其作为国际体育的地位, 为其被指定为奥运会项目奠定了基础。

世界跆拳道于1975年加入国际单项体育联合会总会,标志着其成为国际体育界的一员。1981年,当美国圣克拉拉举办首届世界运动会(右)时,金云龙(中左)当选为国际单项体育联合会总会主席。跆拳道被列入了比赛项目中的10项运动之一。

(7) 跆拳道成为流行文化的关注焦点 (1976年至今)

在20世纪70年代初,一位美国跆拳道师范说:"随着李小龙电影的受欢迎,跆拳道在全球的知名度有所提高。"大约在1973年,举办首届世界跆拳道锦标赛的时候,李小龙的武术电影在全球范围内引起轰动,提高了跆拳道的知名度。李小龙在电影中展示的快速而华丽的踢技,很多部分都源于跆拳道,这提高了跆拳道的地位。跆拳道是一种以踢技为主的徒手防身技术,旨在锻炼个人的心智和身体。打败邪恶势力,捍卫正义的激动人心、惊心动魄的故事被认为是电影、动画和漫画中的有趣题材。跆拳道电影《黑拳》(又名《当跆拳道袭来》,1973年)由李俊九师范,获得了极大的欢迎。随着武艺电影愈受大众青睐,韩国电影委员会积极推广韩国跆拳道电影。自1974年以来,像金雄景、权英文、黄正利、王浩、李贵禄和李东俊这样的跆拳道修炼者都在国内外的电影中担任主演。

1976年,《机器人跆拳V》在韩国影院上映,引起轰动。看过这部动画片的儿童和青少年们被主人公勋一所吸引,纷纷跃跃欲试地学习跆拳道。跆拳道因此成为了流行文化中一个有趣的话题,并被认为是一项青少年体育运动。随后,《机器人跆拳V》系列作品应运而生。《跆拳道少年马鲁齐和阿拉奇》(1977年)和《跆拳王姜泰风》(2000年)系列也在电视上播出。此外,包括许英万创作的《新娘面具》(1974年至今)在内的数十部以跆拳道为题材的漫画也相继问世。因此,跆拳道在电影、动画、电视剧、漫画、童话、音乐、游戏CD、邮票和模型人物等流行文化领域得到了积极的展现。

从20世纪70年代左右开始, 跆拳道被用作电影或电视剧的主题, 以维护正义和击败恶棍为主要内容。
从左到右展示了与跆拳道相关的电影、动画和视频制品。

以上都是以跆拳道为主题的动画、电影DVD和漫画及童话书籍的封面。

从左到右分别为黑胶唱片、磁带、音乐CD、纪念邮票、动作模型人物和游戏CD。这些表明, 与流行文化
相关的产品的发展与跆拳道的发展成正比, 流行文化行业未来一定会持续推出更多高质量的产品。

(8) 道馆的整合和官方跆拳道道服的开发 (1978年)

1978年, 大韩跆拳道协会董事会通过决议, 同意解散所有成员所属的被称为馆的跆拳道派别。十大馆 (实际上是九大馆) 停止了所有活动并关闭了办公场所。从20世纪60年代开始, 便以统一的协会作为正式场所, 并扩大了中心道馆国技院的职能。然而, 个别道馆依然存在, 并对官方升段考试的登记权集中产生了负面影响。也就是说, 升段考试的申请只能通过所属道馆提出, 这对当地道馆来说, 无论在行政还是财务成本方面, 都是一个负担。因此, 单一道馆被废除。申请晋升考试的权利被转交给中央大韩跆拳道协会进行统一管理。跆拳道界终于能够以大韩跆拳道协会和国技院为中心发展行政体系, 为后续进步奠定基础。1978年, 道馆的整合和跆拳道新式官方道服的引入成为跆拳道历史上的一个决定性转折点。一种新式道服完成设计, 取代了早期与空手道和柔道道服相似的服装。此前, 上衣的前部分对半分, 属于开衩式道服。新式道服在这方面有改动, 变成了没有前开衩的T恤式道服。领子呈V型, 颜色为黑色。新道服的开发旨在将这种道服与其他武艺的道服区分开来, 为跆拳道创造独特的身份。道服适合满足实战比赛的实用需求。

在1978年, 国技院实现了对独立道馆的整合, 成为大韩跆拳道协会的中央道馆。因此, 跆拳道修炼者之间的内部团结得到加强。此举也促进了跆拳道在国内和全球化项目中的发展。

1978年, 在道馆整合的同时, 开发并推广了一种带有V领的新式跆拳道道服(制服)。

(9) 大学设立跆拳道系 (1982至今)

在1980年代初, 有几所大学开设了跆拳道专业。这一专业为跆拳道培养了有能力的指导者, 帮助学生掌握理论知识和实践技术。根据2018年的统计调查, 韩国跆拳道相关专业的数量如下: 18所大学 (四年制) 有19个相关专业, 二、三年制的专科学院有2个, 网络大学有2个, 研究生院有7个。跆拳道专业最早于1982年在柔道学校 (龙仁大学的前身) 设立, 这是一所特殊大学。次年, 庆熙大学首次作为一所大学 (四年制) 开设了跆拳道专业。此后, 启明大学 (1996年)、韩国体育大学 (1997年)、暻园大学 (嘉泉大学的前身, 1996年) 和朝鲜大学 (1996年) 分别设立了跆拳道专业。

大学跆拳道教育旨在通过系统化的教育培养该领域的优秀指导者。大学的跆拳道专业通过学术研究促进跆拳道的持续发展, 将跆拳道卓越之处及特色发扬光大。大学层面的跆拳道活动始于跆拳道社团的创建。建国大学在1949年设立跆拳道社团, 成为首家设立跆拳道社团的大学。韩战后, 韩国大学和延世大学分别在1954年建立了自己的社团。韩国首尔大学于1956年设立了跆拳道社团。1963年, 当跆拳道实战成为全国体育大会的正式项目时, 各大学纷纷组建了队伍, 推选优秀的跆拳道运动员参加比赛。大学提供多种途径的跆拳道教育。学生可以在跆拳道专业攻读学士、硕士和博士学位。此外, 跆拳道也成为通识教育和体育课程的一部分。在终身教育中心, 还设有跆拳道硕士课程和学分银行制度。

1987年，致力于跆拳道研究的学者和教授们组建了世界跆拳道学会。次年的首尔奥运会后，学会组织了一次研讨会。由于跆拳道是一项国家和全球性的武艺运动，也确实有必要继续开展关于跆拳道精神和技术价值以及训练方面的人文和科学研究。

4 — 进入奥运会（1986–1999年）

跆拳道在1986年首尔亚运会中被列为正式比赛项目，并在1988年首尔奥运会上被列为正式表演项目，这为跆拳道进入奥运会提供了坚实的基础。从那时起，跆拳道在国际体育赛事中的地位逐渐提高。1994年，在国际奥委会会议上，跆拳道被确定为悉尼奥运会的正式比赛项目。在20世纪90年代，"跆拳道hanmadang"创立，跆拳道被韩国政府选为韩国十大文化象征。

(1) 1986年首尔亚运会将跆拳道列为正式比赛项目（1986年）

在1986年举办的首尔第十届亚运会上，跆拳道首次被列为正式比赛项目。这是跆拳道首次成为国际奥委会认可的正式国际比赛的一部分。在亚运会的跆拳道比赛中，来自17个国家的84名运动员参加了比赛。在比赛中，仅男子比赛划分了8个不同的体重级别。为了保护运动员，对跆拳道装备和场馆设施进行了大幅改进。在比赛中使用了头盔以及保护躯干、裆部及四肢的护具。这是第一个使用头盔的国际比赛。为确保符合正式国际体育赛事的标准，比赛使用了地板安全垫。

亚运会开幕式结束后，举办了一场名为"跃动"的跆拳道大型表演赛。这场表演由1,001名成员组成的队伍参加，以和谐的动作展现了勇敢的精神，场面非常壮观。一些评论道："跆拳道表演令人印象深刻。我认为这些年轻人展示了韩国人的进取精神。""跆拳道表演确实意义非凡。众多参与者极其和谐地展示了精湛而灵活的动作。"来自海外报纸的记者们也给予了好评。

1986年首尔亚运会上, 跆拳道首次成为正式比赛项目。这成为了跆拳道被选为奥运会正式项目的一个重要跳板。

在1986年首尔亚运会的开幕式上, 精彩的 "跃动" 跆拳道大型表演赛。

(2) 公认跆拳道教本及教育资料的出版 (1987年至今)

1987年, 国技院出版了第一本正式跆拳道教本。国技院教材的前身是1972年出版的《跆拳道教本品势篇》(大韩跆拳道协会)。那年, 国技院成立。为了纪念成立15周年,《国技跆拳道教本》问世。国技院教本的出版, 为1988年首尔夏季奥运会跆拳道被选为表演项目做出了贡献。经过18年, 2005年国技院出版了另一版教本。这是一本新版的韩英双语《跆拳道教本》。

该跆拳道教本此后经过多次修订和补充, 特别是 "基本动作与品势" 部分。通过为基本动作指定起始和终止点, 明确呈现了跆拳道的标准。所有动作都配有彩色照片供参考, 以提高可读性。附带英文翻译后, 新版教本的页数增加。然而, 在内容上并无显著差异。新版中了前一版中用于有级者的 "八卦品势"。1988年, 大韩跆拳道协会发布了韩英双语的 "跆拳道教育视频"。国技院通过综合有关 "跆拳道教育" 的知识和信息, 出版了《跆拳道教育白皮书》。这一系列官方教材在有效传播跆拳道及提高跆拳道教育质量方面发挥了重要作用。

1987年的第一版《跆拳道教本》和2005年国技院出版的新版教本。新版包括韩语原文和英语翻译。在新版中，之前版本中包含的"八卦品势"已被。

1988年大韩跆拳道协会制作的官方认证的跆拳道录像带。从此以后，"八卦品势"便完全停止使用。

2013年和2018年，国技院出版了《跆拳道教育白皮书》，汇集了关于跆拳道教育的知识和信息。

(3) 1988年首尔奥运会上跆拳道成为示范项目 (1988年)

　　1988年，在首尔举办的第24届夏季奥运会上，跆拳道作为示范项目亮相。1981年，在德国巴登巴登举行的第84届国际奥委会会议上，首尔被选为1988年夏季奥运会的主办城市。1988年夏季奥运会规模空前，有160个国家参加，口号为"和谐与进步"。在南北韩分治的背景下，首尔奥运会标志着东西方集团间的对抗和冲突开始得到解决的新转折点。在开幕式公共活动中的跆拳道大型比赛"翻越城墙"，1,008名表演队员所呈现出的雄壮、动感的场面给世界各地的人们留下了深刻的印象。

　　跆拳道男子和女子比赛分为八个不同的体重级别。对于示范项目，像正式项目一样颁发金牌、银牌和铜牌，但获奖情况不计入运动员的官方职业生涯。这次比赛为跆拳道的全球化产生了极大的推动作用，为争取将跆拳道列为奥运会正式比赛项目创造了机会。因为一项运动如果多次被列为表演项目，那么被列为正式项目的可能性就很高。在1988年 (首尔) 和1992年 (巴塞罗那) 奥运会上作为表演项目，以及1996年 (亚特兰大) 奥运会上作为展示项目之后，跆拳道终于在2000年悉尼奥运会上被确认为正式比赛项目。

跆拳道比赛的海报和韩国发行的纪念邮票

跆拳道吉祥物"虎多力"和韩国纪念性币

首尔奥运会开幕式上的跆拳道大型比赛"翻越城墙"以及跆拳道比赛的一幕

(4) 跆拳道被评为国际公认体育项目

　　1973年举办的第一届世界跆拳道锦标赛成为了一个跳板, 提高了跆拳道的地位, 使其成为公认的国际体育项目。从那时起, 跆拳道取得了显著的进步。1974年, 首届亚洲跆拳道锦标赛在首尔举行。同年, 世界跆拳道加入了业余运动联盟, 不同于空手道, 跆拳道开始被视为一种独立的武艺和运动。1975年加入国际单项体育联合会总会, 跆拳道的地位提高到了国际体育的水平。1976年, 国际军事体育理事会将跆拳道列为正式项目。1978年, 跆拳道比赛在首尔的世界运动会预赛中举行。1980年, 在第83届国际奥委会会议上, 跆拳道被批准为世界运动会项目。1981年7月, 美国圣克拉拉举办了第一届世界运动会。跆拳道分别在1983年泛美运动会和1987年非洲运动会中列为项目。1986年5月, 它被批准为南美洲比赛的正式项目, 展示了跆拳道的快速和持续发展。跆拳道还是1986年首尔亚运会的正式项目, 第一届跆拳道世界杯创立。国际大学体育联合会批准跆拳道为正式项目后, 世界大学跆拳道锦标赛成立。同年, 世界跆拳道主席金云龙当选为国际奥委会成员兼国际单项体育联合会总会会长。

　　1987年, 跆拳道成为第十届泛美运动会的正式项目。它是1988年首尔奥运会和1992年巴塞罗那奥运会的表演项目。1992年广岛亚运会上, 它成为正式项目。最终, 在1994年9月4日法国巴黎举行的第103届国际奥委会会议上, 跆拳道被确认为2000年悉尼奥运会的正式项目。跆拳道在21世纪的第一年悉尼奥运会上成为正式项目, 巩固了其作为主要国际体育项目的地位。

一张女选手在国际比赛中的实战照片。跆拳道被选为国际军事体育理事会和泛美运动会等重要比赛的正式项目。

在1994年9月4日法国巴黎举行的第103届国际奥委会会议上，跆拳道被入选为2000年悉尼奥运会的正式项目

(5) "跆拳道HANMADANG"开幕 (1992年)

1992年，大韩跆拳道协会成立了"跆拳道hanmadang"，举办了第一届综合性跆拳道竞演比赛。赛事吸引了400个团队和1,400名选手参加，每天有超过3,000名观众观看。跆拳道hanmadang包括诸如品势、击破、示范和跆拳操等各种项目，焦点不再仅仅是实战。这个项目反映了hanmadang的目标，即发展除实战外的跆拳道技巧，将跆拳道作为有趣的观赏性比赛和普通民众的日常运动推荐给大众。

1994年，访韩之年，举办了最大的世界跆拳道锦标赛活动。2000年，活动的组织者从大韩跆拳道协会转交给了国技院，并在2003年更名为"世界跆拳道hanmadang"。2009年，hanmadang首次在海外 (美国) 举办。世界跆拳道hanmadang将跆拳道作为一种武术形式进行推广，汇聚了来自世界各地的跆拳道大家庭成员进行比赛和友谊交流。此外，它还作为全球跆拳道大家庭游览韩国 (跆拳道发源地) 以及国技院 (世界跆拳道总部) 的旅游项目，为发展跆拳道文化旅游产品和创造韩流做出贡献。

1992年，首届跆拳道hanmadang活动在首尔奥林匹克公园2号体育馆举行。此次活动提高了公众对跆拳道作为一种武艺形式和日常运动的认识，增加了普通大众的兴趣。在这次活动中，参与者的年龄在5到80岁之间，年龄跨度之大极其罕见。

2019年在平昌龙平穹顶举行的"平昌世界跆拳道hanmadang"的照片。共有来自57个国家的4,798名参赛者。比赛分为12个大类，共计59个小项。

(6) 跆拳道被选为韩国十大文化象征之一（1996年）

1996年，韩国政府将跆拳道选为代表韩国的十大文化象征之一。韩国文化选拔委员会将跆拳道作为国家文化形象的象征，作为韩国文化向世界展示的符号。这表明跆拳道不仅仅是一种武艺或运动，而是与韩服、泡菜和人参一样的韩国代表性文化象征。选择跆拳道的原因是它不仅是一项奥运会比赛项目，而且具有文化价值，为韩国和海外人民提供了发展健康心智和身体的机会。

2008年新政府上台后，跆拳道作为韩国文化象征的地位得到进一步提升。在10个文化象征中，跆拳道被选中来提升韩国的国家形象。跆拳道属于传统的"韩风"，积极利用跆拳道被认为是推广"文化韩国"的积极、充满活力形象的一种手段。跆拳道被认为是提高国家品牌动感韩国知名度的重要主题。跆拳道作为健康心智和身体训练的一项护身术以及官方奥运项目，已被认为是代表韩国人积极、强大形象的武艺运动。

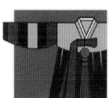

1996年，跆拳道被政府选为韩国十大文化象征之一。它被认为是一种锻炼身心的武术，既是日常运动，也是代表韩国充满活力和坚强形象的奥运项目。

(7) 跆拳道的文化转变：“跆拳舞”，“跆拳操”和“跆拳表演”（1996年~）

　　跆拳道经历了几轮文化转变。像“跆拳舞”这样的将跆拳道用以表达艺术之美, 以“跆拳操”增进健康, 以“跆拳表演”作为舞台艺术的各种跆拳道形式, 都已经出现。跆拳舞是一种舞蹈形式, 其中跆拳道强烈与柔和的动作与音乐相协调, 以表达情感、想法和象征意义。跆拳舞的代表性例子是1996年在韩国国家剧院作为传统韩国武艺节目推出的“永恒之光, 跆拳舞”。这部表演的主要角色, 范基哲师范, 在庄重的氛围中呈现了跆拳舞, 以表达跆拳道追求弘益人间 (广泛造福人类世界) 和全方位完美人生的哲学意涵。1968年, 韩国跆拳道沈阳队成员在韩国传统音乐协会举办的艺术节上, 首次进行了跆拳舞表演, 演出节奏以韩国传统音乐为基础。

　　跆拳道已经发展成为跆拳操 (跆拳有氧) 和表演艺术, 它们与原始形式在目的和方法上都有所不同。跆拳操使用轻快的音乐节奏, 符合有氧运动的原理。它用于一些实用目的, 如减肥, 以及健康、改变心情和增强体力。1998年, 韩国国防部创立了一个将跆拳道的有力动作与有氧运动的轻盈动作相结合的项目, 并将该项目传播到陆军、海军和空军。这是跆拳操的一个重要例子。

　　跆拳表演是一种先进的展示节目或舞台艺术形式, 它将跆拳道示范与舞蹈、表演和唱歌等流行文化因素相结合。跆拳道示范已经超越了单纯展示优秀跆拳道技术的目的, 发展成为一种结合丰富多彩的服装、灯光、音乐和表演的杰作。相关示例包括无言动作戏剧如“展示跆拳”、“跆拳夜晚”和“月亮”；喜剧动作戏剧如“跳跃”、“彼加比”和“跆拳力量”；与韩国传统音乐管弦乐团的合作表演“千年之力”；以及新的跆拳道奇幻作品“巴里”。近年来, 结合了全息3D图像的跆拳表演, 如“踢击: 第二季”和“伟大的跆拳道, 月亮勇士”, 作为将跆拳道、流行音乐和舞台艺术相结合的文化旅游项目引起了关注。如今, 跆拳道继续演变为各种活动和表现形式, 如跆拳舞、跆拳操和跆拳音乐剧 (跆拳演歌)。

左图: 范基哲带队表演的跆拳舞。
右图: 2019年世界跆拳道hanmadang开幕式上, 国技院示范团的跆拳道表演“吉风”。

5 ＿ 世界性武艺运动 (2000年~)

截至撰写本文时, 跆拳道已传播到全球211个国家, 修炼这种武艺的人数超过1亿。跆拳道已经成为一种具有影响力的武艺, 具有护身、健身、心理训练的功能, 也是一项可以终身进步的奥运会项目。跆拳道在其起源地韩国是法定国家运动。许多国家已将跆拳道纳入公共教育课程。展望未来, 跆拳道界应继续努力, 提升跆拳道作为全球文化资产的价值。

(1) 奥运会正式项目的发展 (2000年~)

作为官方奥运项目的跆拳道比赛首次在21世纪的第一年——2000年悉尼奥运会上举行。跆拳道的采纳在1994年9月4日于法国巴黎举行的第103届国际奥委会会议上获得确认。为了纪念这个重要时刻, 跆拳道界将这一天定为 "跆拳道日"。每年都会举行纪念活动。在奥运会上, 跆拳道项目共有8枚金牌, 分属男女各4个不同体重级别。跆拳道项目首次在2021年东京奥运会残奥会上举行, 让残疾运动员也能展示自己的技术。残奥会跆拳道 (为残疾运动员定制的跆拳道) 被列为残奥会和聋奥会的正式项目。

跆拳道将在2024年巴黎奥运会上连续第七次作为正式项目。此前, 跆拳道曾在2000年悉尼奥运会、2004年雅典奥运会、2008年北京奥运会和2012年伦敦奥运会上作为正式项目。伦敦奥运会上的跆拳道比赛是首次引入电子护具的比赛, 使用护具的规定一直沿用至今。此后, 它继续作为正式项目参与2016年里约奥运会和2021年东京奥运会。跆拳道已被确认为2024年巴黎奥运会的正式项目。《纽约时报》报道称, 跆拳道是发展中国家有机会在奥运会上赢得金牌的运动, 也是在韩流之前, 韩国最成功的文化出口产品。

2000年悉尼奥运会上, 跆拳道成为正式项目。这是继柔道之后, 东方运动项目第二次被列为奥运会正式项目的重大成就。

右图展示了悉尼奥运会上跆拳道比赛的场景。左图展示了一篇报纸文章的标题, 涉及跆拳道被选为悉尼奥运会正式项目的消息。

从2000年悉尼奥运会到2021年东京奥运会，跆拳道连续6次成为正式项目。照片展示了自2000年悉尼奥运会以来，描绘跆拳道的奥运纪念币和邮票。跆拳道还被确认为即将到来的2024年巴黎奥运会的正式项目。

(2) 多个国家将跆拳道纳入公共教育课程（2001年~）

跆拳道已经成为许多国家公共教育课程的一部分。美国从2001年开始在公立学校实施跆拳道教育项目。到2010年，美国东海岸超过70所学校将跆拳道列为正式课程。洛杉矶的8所公立学校紧随其后。跆拳道受到家长的高度评价，被认为是培养品格教育的有效手段，如礼仪、尊重、自信（勇气）和耐心（忍耐），同时也有助于身体发展。在中国，跆拳道的教育价值也得到了认可。据一家中国咨询公司的统计数据，2015年中国练习跆拳道的人数超过100万。随着跆拳道的传播和日益普及，越来越多的学校开始将其引入公共教育课程。

在20世纪90年代末，新加坡的教育界认识到了跆拳道的教育效果。自从跆拳道引入中学以来，学生的成绩、自信和活动参与水平都得到了提高。2009年，巴西约5,000所小学将跆拳道列为选修课程。洪都拉斯将跆拳道作为小学的正式课程，而不是课后活动。2019年，洪都拉斯的15所学校为1,800多名学生开设了跆拳道课程。为了扩大跆拳道的基础，二、三年级小学生每周上两次正规体育课。在洪都拉斯，拥有国技院段位证书的本地人教授学生跆拳道。这些例子表明，跆拳道已广泛地作为正式课程的一部分，以促进儿童和青少年的全面发展。

美国德克萨斯州品位晋升考试的照片。许多美国公立学校认识到跆拳道的教育价值，将其视为教育儿童礼仪、自信和耐心的机会，因为跆拳道课程强调教授人格品质的重要性。

(3) 第一届世界跆拳道示范竞演比赛 (2009年~)

第一届世界跆拳道示范比赛于2009年举行，主办机构为国技院。比赛旨在发掘新的示范技巧和示范模式，通过发展和支持国内外跆拳道示范表演团队，提高跆拳道示范表演的价值，并将跆拳道示范表演发展为韩国代表性文化。因此，以"国技院引领跆拳道示范文化"为口号的比赛，以示范比赛的形式举行，为提高跆拳道整体艺术价值提供了一个机会。共有32名决赛选手参加比赛，展示了自己最佳的表演状态。获胜者将获得奖金和成为国技院跆拳道示范团成员的机会。

2009年，第一届世界跆拳道示范比赛由国技院组织举办。这场比赛的目的是发展各种技巧，提高跆拳道表演的美学价值。

国技院示范团的高难度踢击击破场面。

(4) 茂朱跆拳道院完工 (2014年)

茂朱跆拳道院于2014年在韩国茂朱开放，是一个专门用于跆拳道训练和教育的场所。跆拳道院位于岷周之山和白云山之间。该院的占地面积是首尔世界杯体育馆的10倍，也是汝矣岛的一半。跆拳道院由跆拳道振兴财团运营和管理。跆拳道振兴财团的目标是创建、管理和运营跆拳道院，通过推广项目发展跆拳道并提高其国际地位，以及通过跆拳道创造价值和文化。设施分为挑战、发展和成就区域 (分别为体验、培训和象征空间)。在跆拳道院进行跆拳道训练和体验、文化活动、观看和学习跆拳道。国家跆拳道博物馆位于该场地内。

2004年，跆拳道公园选址在全罗北道的茂朱郡。次年，成立了跆拳道振兴财团来推动公园创建项目。2007年12月，《跆拳道振兴及跆拳道公园建造相关法律》颁布。同年，在茂朱举办了首届世界跆拳道文化博览会。2012年，跆拳道公园更名为跆拳道院，2014年建成。2017年，在跆拳道院举行了世界跆拳道锦标赛。第23届男子和第16届女子世界锦标赛以及第7届世界跆拳道锦标赛在韩国举行。2018年，跆拳道院举办了一场特别的全球跆拳道活动，并邀请了练习跆拳道的士官选手。跆拳道院被文化体育观光部和韩国旅游组织列入"2019-2020韩国百大旅游景点"。

左图展示了茂朱跆拳道院的景观。该场地面积是首尔世界杯体育馆的10倍。右图显示了2017年在茂朱T1体育馆举行的世界跆拳道锦标赛的场景。

(5) 跆拳道被法律指定为韩国的国技 (2018年)

在2018年3月30日, 跆拳道正式被指定为韩国的法定国技。在第358届国会的首次全体会议上, 通过了《跆拳道振兴及跆拳道公园建造相关法律》(跆拳道法) 修正案, 其中包括 "跆拳道是大韩民国的国技" 的条款。1971年, 跆拳道因为韩国总统的题词被认定为韩国的国技动。从那天开始, 它正式成为法定的国技。由于确立了 "国技跆拳道" 的法律依据, 跆拳道作为韩国代表性文化品牌的地位得以巩固。现在它得到了政府的支持。保护跆拳道的活动将陆续开展。跆拳道被指定为法定国技, 这要归功于当时是教育、文化、体育和旅游委员会秘书的李铜燮 (现任国技院院长) 的努力。国会300名议员中有225人 (75%) 提交了联名提案, 一致性之高非常罕见。多达120名国会跆拳道联合会议员提供了跨党派支持以实现这一目标。为纪念跆拳道被指定为法定国技, 2018年4月, 8,212名身穿道服的跆拳道修炼者聚集在国会广场上进行跆拳道品势表演, 这一活动被载入吉尼斯世界纪录。2021年, 在国技院举行了跆拳道国技指定日 (三周年) 庆典和纪念碑揭幕仪式。

2018年3月, 由国会225名议员联名提交的一项法案, 规定 "跆拳道是大韩民国的国技", 该法案获得通过(左图)。法案颁布一个月后, 8,212名跆拳道修炼者聚集在国会广场上进行品势和击破表演。这个活动被收录在吉尼斯世界纪录册中。

(6) 亚运会将跆拳道品势列为正式比赛项目 (2018年)

在2018年, 第18届印度尼西亚雅加达-巨港夏季亚运会上, 跆拳道品势首次成为正式比赛项目。跆拳道品势项目分为男子和女子个人及团队比赛 (每队三名选手), 共设四枚金牌。品势成为亚运会正式比赛项目后, 跆拳道技术的多样性和价值得到了进一步拓展, 超越了实战技术范围。2006年首届世界跆拳道品势锦标赛是第一个国际品势比赛。随后, 品势成为夏季世界大学生运动会的正式项目, 并在2019泛美运动会上被选为正式项目。品势项目分为传统品势和自由品势, 具体规则因比赛项目而异。传统品势分为三个类别: 个人 (男子, 女子)、双人 (男男、女女、男女/两名选手) 和团队比赛 (男子, 女子/每队三名选手)。在自由品势比赛中, 个人和双人比赛与传统品势相同, 但团队比赛略有不同。自由品势的团队比赛由五名选手组成, 其中至少包括两名男选手和两名女选手 (共六名选手, 包括一名候选选手)。分组分类由年龄决定。

2006年首届世界跆拳道品势锦标赛在首尔举行, 标志着国际品势比赛的开始。照片显示了赢得比赛的韩国国家队。

跆拳道品势比赛在2018年亚运会上被采纳为正式项目。次年, 品势被选入泛美运动会,增加了其在奥运会上被采纳的可能性。

(7) 知名的跆拳道修炼者

　　许多世界知名的人物都修炼跆拳道。跆拳道作为一种护身术以及保持身心健康的方式，对修炼者的生活产生了积极的影响。西班牙国王卡洛斯就是一位跆拳道有段者。美国前总统克林顿和奥巴马也曾修炼跆拳道。奥巴马在2009年访问韩国时，展示了跆拳道拳击技巧。2011年，南美洲洪都拉斯总统波尔菲里奥·洛波·索萨访问韩国，以国技院认证的三段跆拳道有段者身份展示了极大的自豪。他表示，通过持续练习跆拳道所获得的好处，如耐心、节制、勇气和尊重，帮助他克服了生活中的种种困难。摇滚之王埃尔维斯·普雷斯利从一位韩国师范那里学习跆拳道。迪拜的玛莎公主作为一名国家级跆拳道运动员参加了北京奥运会。2015年美国小姐尼娅·桑切斯拥有四段。韩国有无数名人是跆拳道有段者。在跆拳道电影《金瓯》中担任制作和主演的李东俊曾是一位杰出的跆拳道运动员，连续三次在世界跆拳道锦标赛上获得奖牌。韩国顶级女演员金慧秀曾是美洞小学国家儿童跆拳道示范团的关键成员。受欢迎的喜剧演员李秀根、曲艺歌手赫允儿和嘻哈歌手徐正国都是国技院认证的五段持有者。

从左至右依次为：前洪都拉斯总统手持第三段国技院证书，2015年美国小姐尼娅·桑切斯，迪拜的玛莎公主，以及演员李东俊和金慧秀。这些都是知名的跆拳道修炼者。

1999年4月，英国女王伊丽莎白二世与丈夫爱丁堡公爵访问韩国，观看了由美洞小学学生表演的跆拳道示范。女王夫妇为高水平的表演惊叹不已，并对参与者表示由衷的钦佩和给予热烈的掌声。

(8) 跆拳道相关组织的活性化

在1961年成立的大韩跆拳道协会 (当时称为大韩跆手道协会) 之后, 1972年成立了国技院, 1973年成立了世界跆拳道联盟。跆拳道实战比赛得到了广泛传播, 代表各种团体的子组织相继成立。1973年, 韩国青少年跆拳道联盟和韩国大学跆拳道联盟成立。次年成立了韩国小学跆拳道联盟。1979年, 在国技院内成立了韩国女子跆拳道联盟, 以促进女性跆拳道修炼者的权益。1980年, 在各个大城市和省份成立了17个地区协会, 包括首尔市跆拳道协会, 这是按地区划分的大韩跆拳道协会附属机构。2005年, 韩国产业跆拳道联盟成为大韩跆拳道协会的成员。2009年, 成立了残疾人大韩跆拳道协会, 以维护残疾人跆拳道修炼者的权益, 并培养和支持残奥运动员。

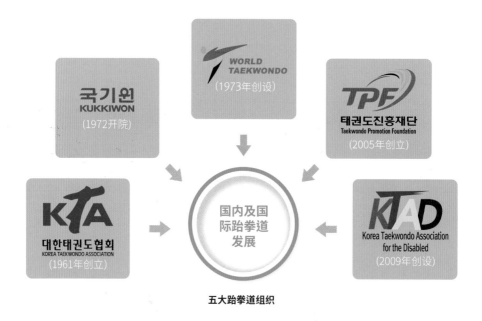

五大跆拳道组织

(9) 跆拳道价值的大众化

跆拳道成为具有影响力和世界知名的武艺运动有三个原因。首先，其三大教育目标，即完善心理素质、身体和技术发展得到了广泛认可。跆拳道是一种徒手武艺，不受时间和地点的限制，可以在不需要特殊服装、器械或设备的情况下轻松学习。如品势、实战和击破等技术系统运用了挡、踢、击和拳击的动作，涉及全身运动。跆拳道对于提高身体素质、敏捷性、心肺耐力、柔韧性和平衡感是一种有益的锻炼方式。同时，它也是一种实用的护身术。作为奥运会的正式比赛项目，许多年轻男女运动员在跆拳道比赛中追求人生目标和成功机会。

对于儿童和青少年来说，跆拳道是培养和提高自信、耐心和礼仪的适当途径。尽管跆拳道的教育效果是这种武艺形式固有的，但这种效果在很大程度上取决于跆拳道指导者的教育理念和实践能力。这意味着跆拳道修炼者的生活可能会根据他/她在练习过程中遇到的指导者类型而改变。跆拳道不仅是韩国人的文化财产，也是世界各地人们的文化财产。韩国的跆拳道界应该努力让世界认识跆拳道的价值，并确保这些价值对个人修炼者的深入影响。这应该是真正的跆拳道修炼者的使命。应明确跆拳道的历史身份，不断思索创新，解决和改善现状，获得成就美好未来的洞察力和智慧。还应进行科学研究，建立系统的实践和教学方法，并制定教本，以解决跆拳道发展中的各类问题。

 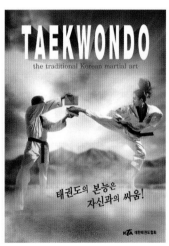

跆拳道是一种用于护身、健康促进和自我实现的武艺。同时，它也是一项奥运会比赛项目。跆拳道的价值，如勇气(果断、挑战精神、自信)、忍耐(耐心、坚韧)和礼仪(尊重、体贴)在跆拳道修炼者的品格塑造中发挥着重要作用。

3

跆拳道的精神

1 跆拳道精神的哲学背景

跆拳道精神包含克己和弘益（克服自我、造福世界）。这些独特的韩国思想观念源自檀君神话。檀君神话是韩国自古以来口头传承的国家创世神话，首次被记录在13世纪末一然编撰的《三国遗事》中。高丽忠烈王13年（1287年），李承休所著的中韩咏史诗《帝王韵记》也在适当修改后收录了该神话。朝鲜王朝实录中，世宗实录对此也有记载。

根据神话，古朝鲜是檀君在大约4,350年前建立的第一个韩半岛国家。根据中国魏朝的史书《魏书》，檀

《三国遗事》关于古朝鲜的王俭朝鲜的记录

君在公元前2,333年，中国夏朝时期，在韩半岛北部的阿斯达建立了首都。檀君将这个国家命名为朝鲜。《三国遗事》中关于古朝鲜的王俭朝鲜的记录，讲述了檀君及其祖先桓因（天父）、桓雄（天子）和熊女的故事。据神话记载，天神桓因，檀君的祖父，询问他的儿子桓雄是否愿意下凡至三危太伯（现在的白头山），造福人间（人道主义）。桓雄对父亲的请求表示赞同。在父亲桓因的允许下，桓雄带领3000人降至太伯山（现白头山），在神坛树下建立了名为神市的城市。他自称桓雄天王，开始统治人间。

桓雄用来统治人间的指导原则是他父亲桓因所强调的弘益人间（人道主义）和在世理化（以理教化世间）的思想。弘益人间意味着"广泛造福人类世界"，在世理化意味着"生活在人类世界，按天理来统治"。这种思想认为，统治应该造福所有人，而不仅仅是一小部分人，应创造一个所有人都可以按照理性原则生活的世界。神话还提到，一头熊和一头老虎跑到当时统治人类世界的桓雄面前，恳求他将它们变成人类。桓雄给了虎和熊一捆艾草和20瓣大蒜，命令它们只吃这些食物，同时在黑暗的洞穴里避开阳光生活100天。他说这会让它们变成人类。艾草和大蒜苦辣。因此，在黑暗的洞穴里忍受100天只吃艾草和大蒜意味着克己（自我克服），忍受并战胜痛苦。

根据檀君神话，虎虽然勇敢强壮，但急躁没耐心，无法忍受这个过程。它中途跑出洞穴，未能变成人类。然而，熊在凭借耐心和忍耐而忍受了所有艰难困苦的过程中，变成了一个女人，熊女。曾经是动物的熊通过践行克己而变成了人类。熊女无人可嫁，也无法与人一起生活。她开始每天在神坛树下祈祷，希望自己能生一个孩子。看着她祈祷的桓雄，暂时变成了一个人类并与她结婚。这对夫妇生了一个孩子，檀君，他在现今平壤附近建立了一个首都，给这个国家起名为朝鲜，后来又把首都迁移到阿斯达，并统治了这个国家1,500年。

上述檀君神话中所表现的韩（朝鲜）民族价值观基于克己和弘益这两种思想。檀君这一主人公，是桓雄和熊女的儿子。他的父亲桓雄，在祖父桓因和母亲熊女的要求下，以弘益人间为主导思想统治人类世界。熊女通过嫁给神的儿子桓雄，变得与神同等。檀君是象征克己的熊女和象征弘益的桓雄的

儿子。这表明自檀君神话形成以来，朝鲜民族最为重视克己和弘益，将其视为高于其他一切价值。克己和弘益是自史前时代以来支配朝鲜民族心灵的生活哲学。

尽管韩国受到了佛教和儒家的影响，并经历了三国时期、高丽和朝鲜等多个朝代，但这些思想随着时间的推移并没有发生太大的变化。相反，在漫长的历史长河中，这些思想一直是朝鲜民族的核心理念。韩国，如同东北亚其他国家一样，受到了儒家思想的极大影响。在儒家教义中，他们关注克己复礼（克服自我和回归道德）、修己治人（通过净化和修炼自己来左右他人的本性）以及修身齐家治国平天下（国家的力量源于家的完整）。这些教义之所以被强调，是因为它们与克己和弘益这两种独特的韩国价值观具有相同之处。

克己复礼意味着通过克服自我来回归道德（礼）。修己治人意味着通过净化和修炼自己来左右他人的本性。修身齐家治国平天下意味着通过修养自己的心性让自己变得伟大，进而统治国家。从一个现代社会的立场来理解，基于非等级制秩序及和谐共存的原则，而不是一个以等级和从属秩序及理念为主导的封建社会原则，这些教义的内涵在一定程度上不同于上文的解释，反而暗合克己和弘益的意义。

在韩国五千年的历史中，克己精神在朝鲜民族独特的微妙和坚韧心态中得到了巩固，弘益人间思想成为了朝鲜民族追求的一切事物的终极目标。"微妙和坚韧"，是克己精神的另一种表达，深入渗透到韩国生活的各个方面。韩国学者赵润济提到，"微妙"是韩国的美丽，"坚韧"是韩国的力量。深植于朝鲜民族内心的微妙和坚韧精神，可以在韩国古典和现代文学中轻易找到。韩国人认为自己民族精神的象征是慢慢耕耘但坚韧不拔的牛，而不是强壮迅速的马。韩国人喜欢豆瓣酱和泡

韩国的国花是木槿花。它并不妖艳，而是以微妙的方式忍受严寒，花期甚长。

菜，这些食物需要微妙且持久的发酵和成熟过程。韩国的国花是木槿花。它并不妖艳，而是以微妙的方式忍受严寒，花期甚长。

所有这些事实都表明克己精神在韩国人生活中根深蒂固。另一方面，韩国人以微妙和坚韧的态度实践克己精神，通过这种方式，在弘益中找到成为更伟大自我的最终理由。韩国人相信，自律、克己以及学习和精通的原因在于成为一个更好的存在并广泛造福世界。韩国《教育基本法》第二条表达的弘益精神如下："教育，以弘益人间为哲学，旨在通过培养人们的品格，使其具备独立生活的能力和作为民主公民所需的素质，从而使所有人能够体面地生活，并为实现人类文明繁荣和民主国家发展的理想目标做出贡献。"克己和弘益是朝鲜民族的独特思想，而跆拳道精神植根于大韩民国的建国神话。克己和弘益的含义随着时间的推移发生了一定的变化。它们构成了韩国人的生活哲学，已经维持了长达五千年的历史，并成为跆拳道修炼的最终目的。

2 跆拳道的精神

1 — 意义

　　跆拳道包括挡、踢和击等格斗技术以及作为相关技术习得和应用指南的心理修炼。跆拳道修炼不仅仅是练习身体技术，还涉及到学习为习得和应用这些技术奠定基础的心理能力。仅修炼身体技术就相当于只修炼一半的跆拳道。要完全修炼跆拳道，心理修炼必须与身体训练相结合。跆拳道技术练习的主要目标是培养防御意外攻击的能力。通过身体训练发展起来的力量可以用来保护自己和他人免受突然袭击。因为个人的目的，这种力量可能被冲动地使用，甚至滥用，成为欺负他人的手段。为防止力量的滥用，必须对其使用加以控制。跆拳道精神不仅是建立力量的指导原则，还是规范如何使用力量的指导原则。在传统的韩国社会，强调力量的培养和正确使用力量的能力的训练应该始终同步进行。这在高句丽和新罗时期的文武兼修（兼顾文化和武艺的进步）传统中得到了体现。旧唐书记载，高句丽时期的年轻人聚集在经书图书馆阅读经文（通经），在业余时间练习射箭。通经是指通读经文以了解人性的正确原则。这表明当时年轻人的教育旨在实现文武兼修，结合武艺实践和品格培养。新罗花郎团遵循的世俗五戒道德准则还强调了杀生有道（特定情况下才杀生）的品德。这个准则可以理解为一个要求，即不要滥用通过武艺练习获得的力量。花郎团通过武艺练习来培养力量，并培养品格来控制他们所发展的力量。在朝鲜王朝，著名儒学学者李滉提到人有身体和心灵，心灵应该被高度重视，而身体应被视为卑微。他提到，如果一个人尊重自己的心灵，身体发展就会随之而来，但如果一个人只关注发展身体，心灵将会荒芜。在这里，"修养身体"对应于技术练习，而"尊重心灵"对应于心理素质的培养。将其应用于跆拳道，意味着修炼者应该在进行身体练习的同时进行心理修炼。

　　如上所述，发展力量必须与培养正确控制和使用力量的能力并行。跆拳道修炼从培养力量的点来看，必须培养正确控制和使用所发展的力量的能力。只有这样，力量才能被社会所接受。跆拳道精神的一个重要功能是作为一种规范性指南，使人能够正确地控制和使用通过跆拳道练习获得的力量。跆拳道精神体现克己和弘益的意识形态，根植于韩国传统观念。也就是说，跆拳道精神包括两个代表性价值，意味着要"克服自己"和"造福世界"。前者意味着跆拳道修炼者应在练习过程中不断克服自己的极限，以获得自己想要的力量，从而实现"自我"的内在成长。后者源于"弘益人间"作为跆拳道精神的意识形态，调节通过跆拳道练习获得的力量的使用。跆拳道修炼者的终身目标是克服在修炼过程中遇到的自身限制，扩大个人潜能，最终达到自我实现。跆拳道修炼者的目标是与他人发展友好关系，实践造福于社区、国家和世界的活动。这就是跆拳道精神"克服自己，造福世界"的重要含义。下图简要说明了跆拳道精神的含义。

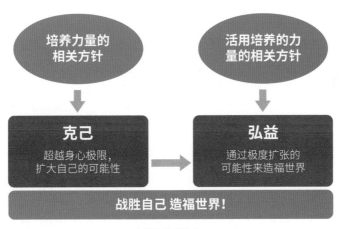

跆拳道精神的含义

2 — 内容

　　跆拳道是一种武艺形式, 涉及徒手防御和攻击技术, 专注于通过踢击进行护身和自我实现。为了获得护身术, 这是跆拳道修炼的第一个目的, 必须发展心理和身体力量。跆拳道精神是与发展和使用力量的指南。这两个相互独立发展的过程, 通过克己和弘益的跆拳道精神相互联系。克己涉及发展力量, 弘益涉及使用已发展的力量。两者在跆拳道实践过程中得到结合。

　　通过不断践行克己, 修炼者内在自我可发展出力量。在此过程中, 修炼者成长为更伟大的自我。随着内在自我的发展, "我"——修炼者应该用所发展的力量保护的对象——从"只关心自己安全的以自我为中心的'我'扩展到"关心'我们'的以社区为基础的存在", 进一步扩展到"与所有相关人士形成统一体的'我'"。在这个过程中, 护身的范围自然扩大, 从"保护以自我为中心的'我'"到"保护我们", 再到"保护每个人"。也就是说, 通过克己, 我们从一个孤立的以自我为中心的"我"变成了"与众人为一"。在这个过程中, "保护'我自己'"变成了"保护每个人", 而"保护每个人"而意味着造福世界。因此, 护身的意义现在已经扩展到包括弘益的意义。与每个人形成统一体的"我"不再区分"我"、"你"、"我们"和"他们"。最能描述这种心态的词是一如, 跆拳道九段认证的品势名称。一如, 意为"一切皆为一", 是跆拳道修炼必须达到的最终心态。

(1) 克己（克服自我）

跆拳道修炼是"自我否定"或"自我成长"的过程。它们看似相反的概念，因为自我成长始于肯定自己，而不是否定自己。那么在跆拳道修炼中，如何能使两个相互对立的过程和谐地进行呢？跆拳道精神克己提供了线索。克己这个词是由克，意为"克服"和"胜利"，以及己，意为自己组成的。要实现克己，作为要克服和战胜的对象的自我和执行克服和胜利工作的主体的自我必须同时存在。如果克服和胜利之前的"我"是被限制在某个边界或限制内的"我"，那么克服限制的"我"要么推开边界或限制，要么超越定义"我"的边界或限制。通过这种方式，"我"通过克己成长为一个"更伟大的我"。面对自己的局限并克服它们是痛苦的任务。然而，通过不断重复"克服自己"的方法，"我"可以逐渐发展成为一个"更伟大的我"。跆拳道修炼者以克己为行动指南，继续跆拳

跆拳道道服（制服），象征着跆拳道修炼者经历一个持续克己过程的人生

道修炼，将自我的范围从"只关心我"的自我，扩展到"关心你、我们"的自我，再到"关心每个人"的自我。随着"自我"范围的扩大，技术练习的主要目标——护身，从"仅保护我自己"变为"保护你和我们"，然后变为"保护所有相关人员"。在跆拳道修炼的过程中，即一个克己的持续过程中，跆拳道修炼者可以体验到四种类型的自我。

初级修炼阶段需要克服的自我

初级跆拳道修炼者需要克服的自我是只会遵循寻求快乐和避免痛苦的本能。保持这种状态的自我，受制于出生条件所定义的边界，就像处于自然生态界的动物一样，根据自然设定的计划进行被动发展。在这种状态下，没有主动的发展和改变，一个人无法发展自己的力量，成长为比"自然定义的自我"更伟大的自我。开始跆拳道修炼并练习技巧是通过改变身体和心灵的自然状态来成长为一个更强大的自我的积极意愿的体现。然而，就像改变身体中的习惯很难一样，改变自己的自然状态和界限也很困难。这是因为，主动改变自然设定的自身条件和界限需要付出艰辛的努力。修炼跆拳道就是要过度使用通常不用的肌肉，增加关节活动范围以超过正常使用范围，并有时与比自己更强大的对手竞争。在这个过程中，一个人可能会与对手相撞或被对手击中，有时会受伤。跆拳道修炼者在修炼过程中会遇到痛苦和恐惧，不能屈服于这些困难，而必须忍受这些困难并克服它们；只有这样，才能发展力量并成长为更强大的自己。克己意味着忍耐和勇气，为了成长和发展为一个更强大的自我，必须忍受并克服跆拳道修炼过程中不可避免地带来的所有痛苦和恐惧。

中级修炼阶段需要克服的自我

当跆拳道修炼者忍受修炼过程中的大大小小的痛苦并坚持修炼时，其力量会增加，自信心也会增强。当修炼者感觉到自己通过修炼得到了成长，便会相信自己的力量，并确信如果继续修炼，就会继续变得更强大，在此过程中信心也会更足。然而，过度自信可能导致傲慢，修炼者可能涌出炫耀的欲望。在这种情况下，修炼者可能会冲动地使用通过修炼获得的力量，或者为了自私的目的滥用它，因为力量没有固定的价值，无论是身体（体力）还是心灵（精神力量），或者社会角色赋予的权力（权威）。那些价值观不固定的人可以根据使用者的意图将力量用于或好或坏的目的。例如，一把锋利的刀可以用于好的或坏的目的。对于力量也是如此。通过跆拳道修炼获得的力量可以用来保护自己或帮助他人，也可能会欺负或恐吓他人。傲慢的人可能会滥用自己的力量来实现自私的目的。在这种情况下，力量变成了不正当的暴力。此时，克己使修炼者变得更强大，并帮助其压制可能变得傲慢或因炫耀的欲望而滥用权力的自我，克服自我来实践自我控制。自我控制是人类作为社会动物生活的一种重要品德，因为一个人不能独自生活，必须始终生活在与他人的关系中。克己对于与他人形成一个社群，过上和谐的生活至关重要。认识到自己的需求与他人的需求同样重要，因为认识到各方的需求可能促使一个人对自私和以自我为中心的行为进行自我控制。通过修炼得到加强的跆拳道修炼者，可以通过克己来实施自我控制，过上和谐的社会生活。

高级修炼阶段需要克服的自我

以克己进行自我控制是社群生活的先决条件。在一个由许多人组成的社群中生活，不是每个人都能实现自己的所有愿望。如果每个人都试图得到想要的一切，社群生活将无法维持。成员需要为了社群的利益而对自己的欲望进行自我控制。作为回报，社群确保社会生活的安全和秩序。通过法律来加强成员间的凝聚力和秩序，并通过各种神话和象征符号来引导成员自愿地为社群做出贡献。当一个社群成功地引导成员做出承诺时，成员会认为自己是社群的一部分，而不是独立的个体，并且甚至愿意为社群做出牺牲。当过分强调所属团体（我们）的态度变得过分时，它可能演变为只强调团体（我们）的团体利己主义，如民族中心主义和/或种族优越主义。团体利己主义认为，只有该团体的文化、语言、风俗、宗教等才是优越的、正常的、正确的，并对其他团体或文化持有负面、排他和敌对的态度排他性的民族中心主义，少数人的观念，盲目的一神教，种族主义和性别歧视都是团体利己主义的一些例子。当团体利己主义变得强烈时，团体间的冲突就会发生。这可能导致更大的冲突，甚至战争。在这种情况下，克己意味着需要克服只重视所属团体的自我，换句话说，只关心"我们"的自我，以及陷入民族中心主义的自我。一个高级跆拳道修炼者需要克服的自我是"只关心'我们'的自我"和"陷入团体利己主义的自我"。

最高级修炼阶段需要克服的自我

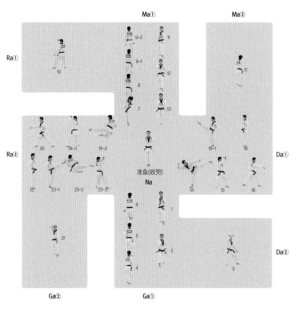

跆拳道一如品势演武线

当跆拳道修炼者在所有修炼层次上成功完成克己过程时，他/她所拥有的自我意识并不区分"我和你"以及"我们和他们"，而是没有"我"的自我或无我的状态。这种心态被称为一如。这个词源于"染净不二，真俗一如"，这是来自新罗大和尚元晓的教导，表明污染和清洁状态并不是分开的，而且真理之道和世俗世界是相同的。一如也是跆拳道九段必须掌握的官方品势的名字。如果将一如与跆拳道修炼者的自我意识联系起来，即达到修炼最高水平的修炼者必须达到一种消除"你和我"以及"我们和他们"的区别的自我状态。没有区别心的自我处于无我的状态，对自我的执着消失了，达到这种无我的状态的自我可以拥抱一切。当区别心消失时，修炼者最终意识到一切都是一体的。在佛教中，区别心会考虑和判断"我和你"、"喜欢和不喜欢"、"对与错"等。这种区别心源于对"自我"或"我们"的执着。达到修炼最终水平的修炼者的自我不能有区别心。当修炼者克服了自己作为区别的主体时，便将重新诞生为拥抱所有人的"自我"。在这个阶段，"关爱自己"变成了"关爱所有人"，自我实现的意义就是实现所有人的愿望。一个人的生活变成了弘益的实践。下图概述了如上所述的各修炼层次的克己目标和自我实现之间的关系。

跆拳道各修炼层次中克己目标与自我实现的关系。

(2) 弘益 (造福人类世界)

弘益源于韩国建国教育思想弘益人间。弘益人间意为"广泛造福人类世界"。然而, 造福人类意味着使人类快乐, 因为人类存在的最终原因是过上幸福的生活。在弘益人间首次被记录的檀君神话中, 它作为国家的治理思想出现。

世界跆拳道示范团在"美国达人秀"表演后举起的横幅上写道:"和平比胜利更宝贵"。

考虑到跆拳道的地位和作用而确立的跆拳道精神。

这表明国家和政治存在的原因是确保人们过上幸福的生活。然而, 弘益人间的主题应该扩展到国家和政治以外, 考虑可能影响人类生活的所有人类文明机制。人类文明机制存在的原因最终在于人类的幸福。如今, 全球有超过1亿人在享受跆拳道。这个数字表明跆拳道正在影响着许多人的生活。因此, 它必须以尽可能的方式为人类的幸福做出贡献。弘益, 意为"造福世界", 是弘益代表了个人修炼跆拳道的目的。它也是举办各种跆拳道活动以及创立和运营诸如国技院、世界跆拳道联盟、大韩跆拳道协会和跆拳道振兴财团等组织的原因，这些组织都开展了各种项目。跆拳道在组织和个人层面已经长时间拥抱弘益精神。国技院、世界跆拳道联盟和大韩跆拳道协会在地区和国际层面举办了各种比赛，并为全球的跆拳道修炼者提供了沟通和交流的机会，包括聚集在世界跆拳道hanmadang、世界跆拳道锦标赛和世界跆拳道公开赛等大小比赛中，用长时间习得的技术相互竞争，同时增进友谊。

各组织经营的跆拳道示范团通过访问许多国家展示跆拳道技术和精神的优秀之处，吸引了全球的关注。队员们利用这些机会传递各种和平信息，如"和平比胜利更宝贵"。通过这种方式，跆拳道和跆拳道的弘益精神为世界

一条由黑色褪成白色的黑带，代表着不区分白带和黑带的心态。

和平做出贡献。派往海外的跆拳道师范和世界跆拳道和平队成员访问世界各地的难民营、灾区、贫民窟和偏远地区，面临各种困难，想方设法为各年龄段的人们（包括儿童、青少年和成年人）提供和发展护身术及健康水平。通过这种方式，外派人员为更美好的未来播种希望。

跆拳道在组织和个人层面已经长时间拥抱弘益精神。这是因为它包含了一种培养实践该思想品质的教育过程。人在其自然状态下，像动物一样与社群隔离，沉浸在自私和以自我为中心的方式中。为了践行弘益精神，每个个体必须摆脱这种以自我为中心的思维方式，与整个社群建立联系，因为个体和社群可以通过建立这样的联系共存。也就是说，通过扩大这种联系，个体和整个社群可以通过有机联系创造一个统一的舞台。个体可以通过建立联系将自我的范围扩大到整个社群。这样，就会产生对他人的包容，关心和考虑的对象从少数密切相关的个体扩大到其他人，最终扩大到所有人类。

跆拳道修炼过程中的克己代表了形成个体与整个社群之间联系的过程，因为克己涉及将"以自我为中心的存在的自我"扩大和转变为"作为社群成员的自我"。这是一种自我扩展的原则，让人成长为"与众人为一的自我"。忠实遵循跆拳道修炼过程的修炼者可以达到"我与众人为一"的心境，不再区分"你和我"以及"我们和他们"。一如代表这种心境，也就是没有歧视的心境，在这种心境中，"以自我为中心的我"的想法会消失不见。这也被称为无我的状态。

弘益人间，作为跆拳道精神弘益的意识形态根源，是一种独特的韩国思想，历经漫长岁月传承至今。弘益人间意味着超越时间和地点的普世价值。在现代社会，歧视已经成为常态，在全球社会中，由于种族、宗教、性别、价值观等差异而普遍存在歧视，不断出现大小冲突和纷争，弘益精神成为了一种促进人类和平共存的良好意识形态替代方案。

3 跆拳道的五大品德

1 — 意义

跆拳道, 起源于战斗技巧的传统韩国武艺, 已经成为一项旨在身心和谐发展的运动, 以及在公平条件下运用力量和策略的竞技运动。它是一种成功实现全球化的现代武艺和运动。如今, 跆拳道作为一种强调修炼者心智发展的身心锻炼形式以及徒手护身术得到广泛修炼。跆拳道被普遍认为是一种对人格发展产生积极影响的全面教育手段, 尤其对青少年而言。跆拳道师范长久以来一直强调心理修炼的重要性。跆拳道精神与跆拳道技术相对应, 是作为跆拳道修炼重要指导原则的实践原则。跆拳道精神是跆拳道修炼者、师范以及与跆拳道相关的组织 (如国技院、世界跆拳道联盟、大韩跆拳道协会和道馆协会) 以及跆拳道本身所应追求的一切价值的总和。跆拳道精神的含义是多层次的、抽象的。跆拳道五德是在日常生活中实践克己和弘益的行动指导原则, 已被设计为通过跆拳道进行儿童品德教育的重要内容。五德包括: 忍耐、勇气、礼仪、正义和奉献。这些品德源于克己和弘益。"忍耐" 和 "勇气" 源于克己, "礼仪" 源于克己和弘益, "正义" 和 "奉献" 源于弘益。下图概述了跆拳道精神与五德之间的关系。

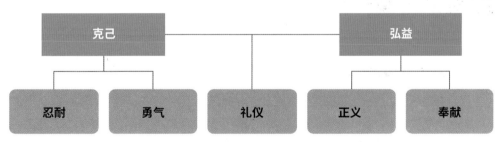

跆拳道精神和跆拳道五大品德之间的关系。

2 — 内容

(1) 忍耐

忍耐是从克己衍生出的跆拳道实践品德。它指的是在跆拳道修炼过程中忍受和克服身体和心理痛苦的心理能力。修炼过程中涉及到不断的自我否定和与自己的斗争。当跆拳道修炼者在修炼过程中遇到身体和心理上的局限时，如果继续修炼而不承认自己的局限并且不停止，就会经历巨大的痛苦。当修炼者不屈服于痛苦，而是克服局限时，就可以发展自己的力量和潜能。忍耐与克己直接相关，因为它是修炼者必须具备的心理能力，否则无法成为一个超越自己局限的更强大的存在。

忍耐痛苦的跆拳道修炼者

忍耐代表实现目标的意志力和自我价值观念。它被解释为"忍受痛苦或困难的力量"，并用诸如"忍受痛苦"和"培养毅力精神"的短语来表达。"坚韧"具有类似的含义。它指的是"物体的刚性"或"不轻易放弃而持久忍耐的精神"。忍耐与心理特征如自控、稳定、一致、耐力、耐心、坚韧和执着密切相关。忍耐也与包括承诺感在内的心理韧性密切相关，这标志着个体应对压力挑战和保持自控感以及增强自我控制能力的能力。自我控制是指约束和调节自己言行的能力，是培养实现长期目标所需的内心和自我牺牲态度的品格的子要素。忍耐是在青少年品格教育中应特别强调的品德，因为要实现既定任务和目标，自主抑制偏离行为以及培养构成理想社会行为基础的道德，这绝对是必要的。为了让青少年成长为拥有良好个性的成年人，面对自己的欲望，自我控制是必不可少的。忍耐是自我控制的基础。这是跆拳道修炼者应具备的重要品德，与礼仪并重。大多数跆拳道教材都提倡这一重要品德。跆拳道修炼的一个重要目标是使人们掌握出色的技术。为此，忍耐至关重要，因为习得技术的过程总是伴随着痛苦和磨难，这些并非特例，而是日常经历。跆拳道修炼者必须培养忍耐，以成功完成所有这些过程并习得出色的技术。

(2) 勇气

勇气与忍耐一起，是源自跆拳道精神克己的实践品德。它指的是在修炼过程中遇到强大对手或挑战时毫无畏惧的心态，以及在日常生活中面对不合理的强制或诱惑时不屈服的心态。在这两种情况下，勇气都是与克己直接相关的品德，因为它代表一种克服软弱或沉溺于贪婪的自我的倾向。勇气意味着"英勇坚强的精神，或毫不畏惧任何事物的精神"。勇气这个词是一个复合词，由"勇"（意为上升）和"气"（意为力量）组成。组合在一起，这个词的意思是"上升的力量"。在日常生活中，勇气用于表示坚强和勇敢的精神，通常用来表示"敏捷"、"勇敢"、"大胆"和"果断"。它表示从身体和心灵中涌现出的力量和活力。

勇气在东西方的群体战争中都是必不可少的品德，其中"勇"和"勇气"分别清楚地传达了这种品德的意义。

《中庸》将勇与知（知识）和仁（仁爱）一起描述为达德。达德是一种普遍适用的、可靠的实践原则，不受地域限制。它是普遍的，不变的。西方人长久以来一直认为勇气是一种重要的品德。古希腊哲学家亚里士多德认为，勇气只能在战场上找到，在那里，人们可以通过勇敢地战斗而不退缩来展示勇气。

在韩国，勇气长期以来一直受到重视，甚至在新罗古国的《世俗五戒》中都有提及。花郎团遵循的"临阵莫退"精神表明当时人们珍视勇气这一品德。新罗的花郎遵循这一道德准则，统一了三个王国。

跆拳道修炼者用赤手击碎十多块屋顶瓦片的勇气。

在跆拳道中，勇气被视为与武艺本质相关的精神价值。勇气是古代战士在面对战斗时的精神基础，如花郎的"临阵莫退"精神所见。跆拳道虽然不是生死搏斗，但与勇气有密切关系，因为它是一种格斗武艺。格斗武艺的修炼者必须始终为与未知对手竞争的情况做好准备，因为如果缺乏勇气、大胆、沉着和果断，就会被击败。因此，老一辈的跆拳道师范特别强调勇气。跆拳道青涛馆的创始人李元国使用"勇武"（勇敢的武艺）这个词来强调，对于胆小者来说，跆拳道是发展勇气的一种很好的心理实践手段。

勇气之所以应该成为跆拳道的实践品德，原因如下。首先，因为跆拳道是修炼需要沉着和坚韧的格斗技术，勇气是必要的。其次，在跆拳道修炼诸如击破、示范和实战等过程中，修炼者容易变得焦躁或面临尴尬的情况。要克服这些情况而不放弃或沮丧，勇气至关重要。

(3) 礼仪

礼仪是源于克己和弘益的实践品德。它意味着在与他人的关系中谦卑地降低自己，尊重地提升他人。作为谦卑，礼仪可以被视为克己的一种行为，因为它意味着放下自己的自信和傲慢。它也可以被视为弘益的一种行为，因为它通过增加对他人的尊重，从而造福他人，因此是一种体贴的行为。礼仪与克己和弘益直接相关。礼仪在字典中的定义是"在人际互动中向对方

在修炼前后，跆拳道师范和学员彼此礼貌地问候。

表现出礼貌的言谈、举止、行为等总称。"它涉及到说话的方式、礼貌和尊重。"礼节"具有类似的含义。尽管这两个词可以互换使用，但它们的含义有明显的区别。礼节是礼仪凡节的简称，指的是在一个社区内以适当的方式表达对他人尊严的尊重。礼节是指一个人应该向另一个人展示的各种行为，如语调或身体姿态，或一系列动作。如果说礼仪是一种心态，那么礼节就是基于这种心态的行为。具有礼仪意味着不仅在表达上保持正式，还要在内心尊重他人。

在跆拳道中，礼仪已经被强调很长时间了。在跆拳道界众所周知的"以礼始以礼终"的教诲，凸显了礼仪在跆拳道实践中的重要性。资深跆拳道指导者也将礼仪列为跆拳道修炼者的第一品德。青涛馆的创始人李元国提到，礼仪使人们首先审视自己的内心，然后尊重他人。这是跆拳道修炼者最重要的品德。跆拳道吾道馆的创始人崔泓熙也将五大品德作为跆拳道精神的一部分：礼仪、廉耻、忍耐、克己和百折不屈。他把礼仪确定为第一品德，从而强调了其重要性。跆拳道界如此重视礼仪品德，因为修炼中包括可能涉及踢或击打对手的危险侵略性动作。这种侵略性可能会引发对方的情绪反应，人际关系可能会恶化。跆拳道强调礼仪，是为了预先防止这些负面影响，并鼓励在诚信的基础上相互提高技术和竞争。跆拳道修炼者在修炼和实战前后分别向自己的师范和对手礼貌地表达礼仪。

(4) 正义

正义是源于跆拳道弘益精神的实践品德。它是一种关心"我们"而非"我",不仅为"我们"而为"每个人"的心态。在这个语境下,正义与弘益精神直接相关,后者旨在广泛地造福世界。正如弘益人间所示,自古以来,韩国人民并非沉迷于天选之民意识的民族,而是认为"广泛造福人民"是最高原则。这种世界主义价值观在跆拳道中得到了很好的体现。作为跆拳道实践品德之一,正义是对这些价值观的现代重新诠释。

"义"这个词与正义有类似的含义。它是传统韩国社会君子必须具备的四德之一:仁义礼智。义负责引导、调节和保持一致性等功能,其中最重要的是引导。引导意味着义作为所有人类行为的参考。对于古代的君子而言,义是决定是否谋财和判断善恶的标准。在传统韩国社会,义是任何人都必须遵循的最高行为准则。如果认为义与正义具有相同的含义,那么可以解释为韩国人民在漫长的历史中非常重视正义这一品德。

资深跆拳道指导者强调正义。武德馆创始人黄琦将严肃、真诚和正义设定为道馆的正式纪律。《破邪拳法》(1958年)一书的作者朴哲熙将正义列入了通过跆拳道修炼可以培养的七大品德之一。

跆拳道修炼者的拳头象征着正义

正义在当代跆拳道中应该受到重视。这是基于以下原因的品德。首先,跆拳道负责青少年教育,与社会和学校教育相联系。其次,跆拳道已成为一项全球人民喜爱的奥运会项目。第三,韩国和海外都有许多大型和小型的跆拳道相关组织。如今跆拳道界已经变得非常庞大,在这样的环境下,暴力、贿赂和以权谋私等腐败现象令人痛心。跆拳道相关人士的道德意识和正义观念缺失被认为是腐败的根源。当跆拳道教育、竞赛和团体活动的参与者用正义对待工作时,腐败将不复存在。因此,正义应该成为跆拳道的实践品德。

(5) 奉献

奉献是源于弘益精神的实践品德。通过奉献活动, 弘益精神可以付诸实践。因此, 奉献与弘益密切相关。奉献的目标是在分享自己所有的同时, 为他人提供支持和服务。

在非洲奉献的跆拳道指导者与学员在一起

在传统韩国社会中, 奉献一直受到强调。韩国人认为分享、给予和互助等具体行为从不同方面体现了奉献的品德。重视奉献的韩国人为志愿服务传统的形成做出了贡献, 这一传统在以下方面得到体现。在地方社区, 当一个家庭遇到重要的时刻 (无论好坏, 如婚礼或葬礼), 整个村庄都会聚集在一起帮忙, 表达同情与仁爱。在农民忙碌的季节, 需要额外的劳动力时, 人们会进行集体劳动。

奉献在现代社会中是必要的。否则, 学校不会将奉献相关科目视为必修课程。如今, 许多大学也将奉献作为必修科目, 此外, 中学和高中将其作为所有学生必须花费一定时间进行的课外活动。在许多大学里, "志愿服务" 和 "自愿社会服务" 被视为必修课程。

在现代社会中, 奉献被细分为几个领域, 如社会福利、公共卫生、社区发展、环境保护、弱势群体权益促进、青少年指导、教育、咨询、人权、救灾、文化、艺术、体育、国际合作和海外志愿者等。跆拳道也被视为奉献的重要手段之一。2009年成立的世界跆拳道和平队基金会每年选拔200至300名跆拳道指导者, 派往亚洲、非洲、南美洲和欧洲等国家。派往海外的跆拳道指导者会分享自己的跆拳道才能, 而且每次都会与当地人一同生活数月。跆拳道指导者通过海外志愿者活动为当地青年注入梦想和希望, 通过改变当地跆拳道修炼者的生活方式, 帮助其过上健康的生活。通过内化跆拳道的价值, 如忍耐、勇气、礼仪和正义, 社会在心理上变得更加健康。因此, 跆拳道指导者们是在通过各种奉献活动 "造福世界"。

奉献是跆拳道的实践品德, 因为它是实现弘益的具体手段。虽然跆拳道修炼的主要目标是发展力量和护身术, 但最终目标是实践弘益。有各种方法可以 "造福世界", 而奉献就是其中之一。跆拳道修炼者应努力通过将自己通过修炼获得的力量和能力用于国家、社会或他人的利益来造福世界。

3 — 跆拳道修炼者的准则

跆拳道修炼者准则以实践指南的形式描述了跆拳道的五大品德。个人跆拳道修炼者凡承诺将这些品德作为跆拳道修炼一部分的, 均可参照这些准则来实践品德。

跆拳道五大品德与跆拳道修炼者准则

跆拳道追求的修炼者形象

跆拳道修炼者与未修炼跆拳道者，不同之处在于前者经历了跆拳道的修炼。有跆拳道修炼经历的人是跆拳道修炼者，没有跆拳道修炼经历的人不是跆拳道修炼者。然而，并非所有具有跆拳道修炼经历的人都是公众意义上的修炼者。要被公众认可为跆拳道修炼者，至少需要获得一段（黑带）或更高级别的证书。因为，尽管在获得一段之前，跆拳道修炼者的级别考试和验证是在单一道馆"私下"进行的，但一段及以上的升段仪式是由国技院或其指定的跆拳道组织"公开"举行的。一个已经开始跆拳道修炼但尚未获得一段级别的人可以被称为预备跆拳道修炼者，但在公众意义上并非修炼者。跆拳道旨在塑造的理想人物不仅仅是一个跆拳道修炼者，更是一个"理想"的修炼者。要成为理想的跆拳道修炼者，必须满足以下条件。

首先，必须在一生中忠实地修炼跆拳道。一个过去长时间接受跆拳道训练并达到高水平的人，但目前没有修炼或失去了对它的热情，虽然可以说他/她是跆拳道修炼者，但并不被认为是理想的跆拳道修炼者。理想的跆拳道修炼者应该在一生中充满激情地修炼跆拳道。持续参与跆拳道修炼是成为理想的跆拳道修炼者的必要条件，但并非充分条件。要成为理想的跆拳道修炼者，一个人必须在一生中忠实地修炼跆拳道，并遵循跆拳道的五大品德，即忍耐、勇气、礼仪、正义和奉献。从这个意义上讲，理想的跆拳道修炼者还必须满足以下条件：

其次，理想的跆拳道修炼者应该在修炼过程中以忍耐和勇气克服痛苦和困难。跆拳道修炼包括掌握出色的跆拳道技术，如基本动作、品势、实战、击破和示范。在这个过程中最重要的品德是忍耐和勇气。一个没有忍耐和勇气的人无法掌握跆拳道的技术，因为卓越的技术难以轻松获取。相反，只有通过不断克服自己的极限才能获得。突破自己的极限涉及到巨大的痛苦。当修炼者面临体力或技术的极限时，首先会感受到身体上的痛苦，这会引发对受伤或死亡的恐惧。修炼者挣扎着决定是继续还是停止修炼跆拳道。缺乏忍耐和勇气的修炼者会在痛苦和困难面前放弃，无法掌握跆拳道的卓越技术。

第三，理想的跆拳道修炼者必须注重礼仪，懂得如何控制自己，不滥用通过修炼获得的力量，并始终关心和尊重他人。注重礼仪的人在与他人的关系中会体贴、尊重他人，与他人和谐相处。这些人具有廉耻心，看重自己的脸面，对自己的错误言行会感到羞愧。跆拳道使修炼者变得强大。它强化了其身体和心灵。身心变得更强大的修炼者可能会信任自己的力量，陷入自豪和炫耀的状态。当其过于兴奋以至于无法控制自己的情绪时，可能冲动地滥用自己的力量。礼仪可以抑制这种傲慢和其他冲动的情绪。礼仪包括自我约束和谦逊。跆拳道修炼者必须具备谦逊这种品德，不要轻易展示自己的力量，同时懂得如何约束自己，对年幼或弱小的对手给予尊重。

第四, 理想的跆拳道修炼者必须正义并为公共利益提供志愿服务。正义意味着更关心 "我们" 而不是 "我", 关心 "每个人" 而不是 "我们" 的心态。它与造福世界的弘益精神相一致。正如弘益精神所传达的信息, 韩国人并不是一个生活在被选中和特殊错觉之下的自私民族; 相反, 韩国人是一个将帮助他人视为最高价值的民族。弘益人间的思想也体现在跆拳道中。作为跆拳道的品德, 正义是对韩国人独特价值观的现代重新诠释。它包含公平、志愿服务, 不分性别、年龄、种族或宗教地平等对待每个人, 并与每个人分享通过跆拳道修炼所获得的成果, 必要时愿意为人类的共同利益奉献自己, 这就是正义。这是跆拳道旨在塑造的理想人物。

总之, 跆拳道追求的修炼者形象终身忠实于跆拳道修炼, 具有忍耐和勇气的品德, 努力克服修炼过程中遇到的痛苦和困难。注重礼仪, 避免滥用通过修炼获得的力量, 实行自我控制, 尊重并考虑他人和社区的需求。具有正义, 公平对待每个人, 并为服务人类的共同

跆拳道追求的修炼者形象: 一个能够以忍耐和勇气克服修炼过程中遇到的痛苦和困难的人。

利益奉献自己。理想的跆拳道修炼者真诚地修炼这种武艺, 并追求跆拳道的克己和弘益精神: 也就是说, 致力于 "克服自我和造福世界!"

4

跆拳道与科学

跆拳道生理学

1 __ 跆拳道生理学的理解

(1) 什么是跆拳道生理学？

生理学是科学性的研究身体功能和活动原理。跆拳道生理学涉及到跆拳道修炼过程中跆拳道修炼者所经历的生理反应。它涉及如何产生我们进行修炼所需的物理能量，使用技术时的肌肉收缩机制和肌肉使用，以及在跆拳道修炼中提高体能等主题。只有通过对这些主题的生理学知识的逐步积累，才能进行科学的跆拳道修炼和指导。因此，跆拳道生理学这门学科研究的是整个跆拳道修炼过程涉及的身体功能和原理。

(2) 对跆拳道修炼效果的生理学理解

改善身体功能

跆拳道修炼的主要目标是改善修炼者的身体功能。例如，跆拳道生理学可以解释通过跆拳道修炼如何增强肌肉和骨骼或改善心血管和呼吸功能的过程。也就是说，跆拳道生理学为如何修炼跆拳道以增强身体功能提供了科学依据。

身体和心理发展

修炼跆拳道的另一个主要目标是通过体育锻炼进行教育。换句话说，在跆拳道修炼过程中，修炼者可以通过经验获得有用的信息，同时养成良好的习惯。修炼者不仅可以在道馆里应用这些习惯，还可以在日常生活中应用。全球许多青少年正在修炼跆拳道。跆拳道修炼促进其肌肉和骨骼生长，消耗不必要的过量能量，可以预防肥胖和慢性疾病。跆拳道修炼还促进神经和关节的协调。最终，跆拳道修炼有助于青少年获得健康的身体和心理。

健康改善

跆拳道修炼者学习各种技术，并将其用于品势、实战和击破。跆拳道是全身运动，涉及手、脚和身体的协调运用。由于跆拳道涉及到身体的所有部位，因此可以增强各种身体因素。跆拳道对于维持和增强健康非常有效，是一项适合所有人的运动。跆拳道修炼可以为成年人，包括老年人带来各种生理益处，如减少体脂肪、增强肌肉力量和柔韧性、改善心肺循环功能、预防骨折、增强骨密度、预防糖尿病等代谢性疾病。

修炼者通过跆拳道修炼获得的好处

具有足够跆拳道生理学知识的跆拳道指导者可以根据相关信息为儿童、成年人、老年人、运动员以及喜欢锻炼的人提供适当的、量身定制的指导。也就是说，跆拳道指导者可以解释跆拳道修炼对每个目标的生理影响，如下表所示。

跆拳道修炼的生理效果取决于修炼者的情况

目标	修炼效果
儿童	• 促进生长和发育 • 增强骨骼、提高柔韧性、改善长跑能力、增加力量、预防肥胖、提高协调能力
成人	• 通过低、中、高强度修炼减少体脂肪并管理健康和改善体能 • 通过提供跆拳道修炼效果的科学依据，增强对修炼的坚持
老年人	• 帮助预防骨折、改善平衡、稳定姿势和心理稳定
运动员	• 通过了解能量代谢和营养原理，协助开展有效的体能管理 • 根据身体周期化原理，可以备战比赛，提高经济水平

(3) 跆拳道与体能

通常情况下，如果一个人"缺乏体能"，这意味着其身体能力不足以进行修炼。每个修炼者的身体构成不同，体能水平各异。有些修炼者很强壮（肌肉力量），但由于呼吸能力较弱（肺功能），无法长时间进行修炼。有些修炼者动作较慢，但可以长时间修炼。跆拳道指导者必须考虑到修炼者之间的这些差异，并提供适当的反馈和方案。在跆拳道中，体能是指一个人执行跆拳道技术所需的身体能力，它包括两个要素：健康体能和运动体能。

健康体能

与健康相关的体能包括有助于健康生活的因素。它包括五个因素：心肺耐力、肌肉力量、肌肉耐力、柔韧性和身体组成。首先，心肺耐力是指基于呼吸能力持续运动很长时间的能力。例如，一个修炼者在进行三轮实战后，仍保持稳定呼吸，表明心肺耐力较佳。其次，肌肉力量是指我们在收缩肌肉时产生的力量。握紧我们的手成拳或抓住对手是肌肉力量的表现。第三，肌肉耐力是指我们用肌肉反复持续产生能量的能力。具有肌肉耐力的人在执行重复的手和脚技术时不容易疲劳。

第四，柔韧性是指最大限度地增加关节活动范围的能力。修炼者需要柔韧性来做出高踢腿动作或使动作更加流畅。第五，身体组成是指构成身体的物质，如肌肉和脂肪。体脂肪、体水分和蛋白质是身体组成的元素。

运动体能

运动体能是为了更好地发挥运动技术所需的体能要素。它包括五个要素: 敏捷性、力量性、平衡性、协调性和速度。敏捷性是指在不断变化的情况下迅速调整身体的能力: 例如, 在实战中迅速躲避对手的攻击。力量性是指使用瞬时力量移动的能力。在示范过程中, 跆拳道修炼者在执行瞬时快速高跳时会使用自己的力量。平衡性是指保持身体核心稳定的能力。在演练品势时, 可以稳定地从站姿过渡到动作, 便是这种能力的表现。协调性能力是协调身体各部位以执行流畅动作的能力。在品势中, 我们需要协调性能力来协调上下身的运动。速度是指快速奔跑或移动的能力, 例如在实战中执行快速动作或踢击。

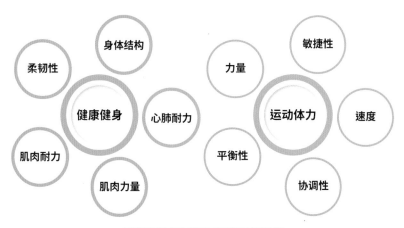

与健康相关的体能和与技能相关的体能

2 — 跆拳道与能量代谢

(1) 能量代谢

我们需要能量来移动和维持体内的生命。当我们用身体和思想做种种行为时, 我们会消耗能量。在修炼跆拳道时, 我们需要的能量比日常生活中需要的能量更多, 不仅是为了修炼跆拳道技能, 还为了冥想。产生这种能量的过程称为能量代谢。例如, 当我们摄取食物时, 我们的身体会将其分解、合成并转化为特定的化学物质, 然后将其储存起来。能量代谢是指在我们身体内发生的所有化学过程。每时每刻我们都在利用能量为我们的生理过程提供能量 (例如呼吸, 保持体温等)。

ATP和线粒体

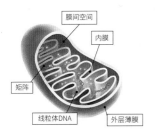

线粒体结构

- 维持生命活动所需的能量来源被称为三磷酸腺苷 (ATP)。
- 分解一个ATP可产生能量。
- 人体细胞中的线粒体在生成ATP的过程中起着重要作用。
- 线粒体从我们身体中摄取来的能量来源 (例如食物) 中制造ATP。
  也就是说, 线粒体是为我们的身体制造ATP的工厂。

(2) 能量的产生

产生ATP的方式有多种。

通常情况下, 无氧代谢过程不涉及使用氧气来产生能量, 而有氧代谢过程则涉及使用氧气来产生能量。无氧代谢过程发生在所有细胞 (细胞质) 中。有氧代谢过程发生在线粒体内。修炼类型、运动强度、锻炼的身体部位和个人体能状况决定了会发生哪一种代谢能量过程。

无氧/有氧能量代谢过程

无氧能量代谢 (快速能量使用)

当一个人开始跆拳道修炼时, 首先是无氧能量代谢参与能量生成的过程。它可以分为ATP-PCr (磷酸肌酸) 系统和糖酵解系统。

一. ATP-PCr系统

通过这个过程, 身体通过利用已经储存的物质快速为自己提供能量。也就是说, 通过分解肌肉中储存的磷酸肌酸, 可利用腺苷二磷酸 (ADP) 重新组合生成ATP。这个过程主要用于短时间内 (几秒钟) 需要爆发力的运动。例如, 在实战过程中, ATP通过分解肌肉中储存的磷酸肌酸产生。然而, 当肌肉中磷酸肌酸浓度降低时, 重新组合生成的ATP量急剧减少。这就是为什么我们在使用爆发力后会感到极度疲惫的原因。

二. 糖酵解系统 (糖酵解)

糖酵解与碳水化合物分解成葡萄糖有关, 然后葡萄糖进入细胞并分解成一种叫做丙酮酸的化学分子, 从而产生能量。通过这个过程产生的丙酮酸随后会转化为乳酸, 或者转移到线粒体中进行额外的氧化过程 (有氧代谢), 具体取决于运动的氧气需求。如果氧气供应不足, 通过糖酵解产生的丙酮酸会转化为乳酸。糖酵解用于最大努力进行的2至3分钟的运动。例如, 每回合2分钟的实战主要使用通过糖酵解产生的能量。

乳酸会引起肌肉疼痛吗？

- 一些指导者和运动员认为运动期间产生的乳酸会导致持续的肌肉疼痛。然而, 事实并非如此。
- 虽然运动强度越高, 血液中乳酸的积累越多, 但乳酸在运动结束后60分钟内会恢复到运动前水平。
- 因此, 乳酸不可能是高强度运动后持续1-2天的肌肉疼痛的原因。
- 如果乳酸引起肌肉疼痛, 即使是优秀的运动员在运动后也会感到肌肉疼痛。
- 事实上, 修炼有素的运动员在锻炼后并不会感到肌肉疼痛。
- 运动后的肌肉疼痛是由于运动导致的肌纤维微小损伤。

有氧能量代谢 (缓慢的能量使用)

通过无氧代谢过程迅速产生能量, 但当运动持续时间较长时, 对氧气的需求增加。通过快速呼吸, 我们为肌肉提供所需的氧气。此时, 糖酵解过程中产生的丙酮酸会根据氧气的存在而转移到线粒体中。这个过程被称为有氧能量代谢。在几乎所有跆拳道修炼中都会发生有氧能量代谢。在进行基本姿势或品势练习时, 我们尤为依赖通过有氧代谢产生的能量。

跆拳道技术领域与能量代谢过程

- 在实战、品势和击破过程中, 会发生不同类型的能量代谢。两种类型的能量代谢都会发生, 根据运动的特点, 每种代谢贡献的程度有所不同。
- 击破需要瞬间和爆发力的能量, 在短时间内依赖无氧代谢。
- 实战需要无氧和有氧代谢。然而, 由于实战需要移动和踢击, 我们对无氧代谢的依赖稍微多一些。
- 另一方面, 在缓慢节奏的品势中, 我们更依赖于有氧代谢。

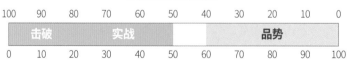

根据跆拳道修炼类型对能量代谢的依赖度。

(3) 跆拳道修炼与能量代谢

跆拳道修炼不仅包括品势、实战和击破, 还包括诸如示范、跆拳操、体能训练和热身等各种项目。通过定期进行跆拳道修炼, 我们可以改善能量代谢和与健康相关的代谢功能。具体如下。

改善能量代谢

跆拳道修炼有助于减少疲劳, 提高有氧能力和增加糖原储存。首先, 如果我们在短时间内消耗大量能量, 疲劳会减少。跆拳道修炼会增加肌肉体积, 从而增加磷酸肌酸的储存。增加肌肉储存磷酸肌酸的能力可以提高磷酸酶过程的效率, 并延迟爆发性运动中疲劳的发生。其次, 跆拳道修炼过程中心肺耐力 (有氧能力) 会增加。身体的有氧能力取决于其氧气运输系统和利用氧气的能力。因此, 增加的有氧能力可以通过在运动过程中减少对糖酵解的依赖来减少疲劳。第三, 肌肉中糖原 (各种葡萄糖) 的储存能力增加。当我们进行跆拳道修炼时, 肌肉细胞会变大, 糖原合成酶会被激活。此外, 葡萄糖流入肌肉细胞的增加使得肌肉中总体糖原储存增加, 这表明健康状况得到了改善。

改善与健康相关的代谢功能

在跆拳道中, 我们在踢击、格挡和冲拳等动作中使用手臂、腿部肌肉以及身体核心的肌肉。这样的修炼使心脏和肺部的循环系统达到一定程度的刺激, 并增加肌肉、骨骼和神经系统的整体活动水平。跆拳道修炼尤其有效地降低胰岛素抵抗和改善血糖调节, 从而解决肥胖和糖尿病等疾病的根本原因。研究发现, 跆拳道修炼确实降低了肥胖青少年的胰岛素抵抗。适当规划的跆拳道修炼还可以控制脂血。这有助于预防高脂血症、心肌梗死和中风等心血管疾病。

3 __ 跆拳道与肌肉骨骼系统

(1) 肌肉骨骼系统

肌肉骨骼系统包括肌肉系统和骨骼系统。跆拳道使用身体的所有部分, 跆拳道修炼者的肌肉和骨骼发育程度与其修炼表现密切相关。因此, 了解每个身体部位的肌肉和骨骼的使用对于技能掌握和运用是重要的, 跆拳道指导者和修炼者必须对人体肌肉骨骼系统有基本的了解。

身体运动发生在肌肉的每个部分收缩或放松时。肌肉不仅仅是移动手臂、腿部和颈部等身体部位。它们还参与维持姿势、消化食物、呼吸, 甚至输送血液。我们可以随意使用的肌肉, 如在移动或保持某种姿势时, 称为骨骼肌。在消化、呼吸或心脏跳动等过程中自动运动的肌肉称为非骨骼肌。

构成骨骼系统的骨头支撑着我们的身体并保护我们的器官。例如, 头骨保护大脑, 肋骨保护肺和心脏。附着在骨头上的肌肉称为骨骼肌肉。

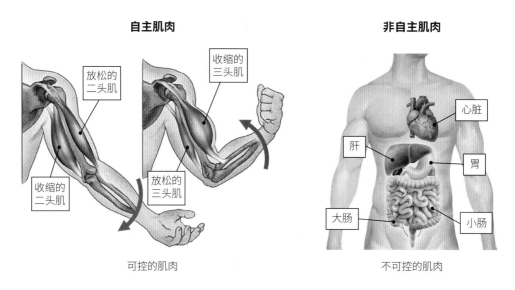

骨骼肌与非骨骼肌

(2) 肌纤维类型

根据肌纤维对电刺激的收缩速度, 肌纤维可以分为两个主要类别。慢肌纤维, 也称为红肌纤维, 是Ⅰ型肌纤维; 而快肌纤维, 也称为白肌纤维, 是Ⅱ型肌纤维。两种类型扮演着不同的角色。为了深入了解肌肉在跆拳道修炼中的使用方式, 必须熟悉慢肌纤维和快肌纤维的特点。

慢肌纤维 (红肌纤维)

慢肌纤维 (Ⅰ型纤维) 因富含大量肌红蛋白而呈红色。慢肌纤维收缩速度慢, 但具有优异的有氧能力, 因此具有很强的抗疲劳性。高肌红蛋白浓度表明存在大量线粒体, 这些线粒体可以利用氧产生ATP。此外, 与快肌纤维相比, 慢肌纤维中毛细血管浓度较高。由于它们较细, 即使经过反复锻炼, 慢肌纤维的肌肉体积也不会增加。

快肌纤维 (白肌纤维)

快肌纤维 (Ⅱ型纤维) 具有与慢肌纤维相反的特性。快肌纤维收缩非常快, 但容易疲劳。然而, 它们在储存磷脂、糖原和钙方面具有优越性, 这些物质能迅速提供能量。因此, 快肌纤维具有更好的无氧代谢能力。由于它们较粗, 大量的快肌纤维锻炼可以增加肌肉体积。

快肌纤维	慢肌纤维
· 快速收缩	· 慢速收缩
· 容易疲劳	· 不容易疲劳
· 无氧运动时使用	· 有氧运动时使用
· 瞬时最大力量锻炼时使用	· 肌肉耐力锻炼时使用

比较快肌和慢肌

跆拳道修炼与肌纤维

　　根据进行的运动类型和情况, 跆拳道修炼中会动用慢肌纤维和快肌纤维。例如, 在整个实战比赛过程中, 慢肌纤维起着重要作用, 因为选手们必须在设定的时间内不休息地执行动作和技术, 期间其肌肉不应容易疲劳。快肌纤维在实战比赛中也起着重要作用, 例如当选手们在迅速交换攻击或尝试某种类型的技术时。在品势中也是如此。在连续进行多个品势时, 慢肌纤维很重要; 在执行如冲拳和格挡这样需要立即执行的技能时, 快肌纤维很重要。

乳酸阈值和慢速与快速肌纤维的动用

- 运动强度越高, 我们在血液中累积的乳酸就越多。
- 当运动强度超过一个称为乳酸阈值的特定水平时, 血液中乳酸浓度急剧上升。从达到这个乳酸阈值的那一刻起, 我们的身体状况发生了彻底的变化。
- 在达到乳酸阈值之前, 我们使用慢肌纤维。达到乳酸阈值后, 快速肌纤维的使用增加。

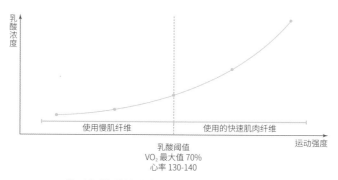

达到乳酸阈值前后对于慢速和快速肌纤维的使用

(3) 肌肉收缩

肌肉收缩原理

　　最著名的肌肉收缩原理是"肌丝滑动模型"。根据该理论, 构成肌肉的肌纤维在收缩时相互滑过。肌肉由许多纤维组成, 在这些纤维中, 肌动蛋白和肌球蛋白与彼此结合并滑动以收缩。过程如下。

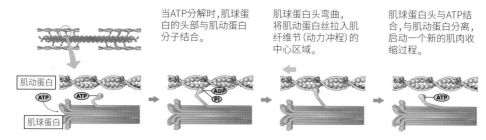

肌肉收缩原理 (肌丝滑动模型)

肌肉收缩类型

肌肉收缩通常分为静态 (等长) 收缩和动态 (等张) 收缩。在跆拳道运动中, 肌肉的长度和施加的力量不断变化, 这使得很难明确区分等长和等张收缩。大多数运动, 包括跆拳道, 都涉及等长和等张收缩的结合。

一. 等长收缩

在等长收缩中, 肌肉力量产生时肌肉长度不会改变。关节角度不会改变, 因此肌肉不会收缩或放松。例如, 双手推墙时, 肌肉长度在产生力量时不会发生改变。跆拳道中的一个类似示例是马步。为了保持膝盖弯曲的姿势, 股四头肌和肱二头肌必须具有力量, 但其长度不能改变。等长收缩的一个优点是我们在进行这些动作时面临的受伤风险较小。然而, 由于所需的静态状态和仅在特定角度的关节修炼效果有限, 人们很容易对等长收缩修炼失去兴趣。

二. 等张收缩

在等张肌肉收缩中, 运动过程中肌肉长度和关节角度不断变化, 这在所有运动中都很常见。哑铃锻炼是一个很好的例子。当肌肉在恒定角度和恒定重量下收缩时, 产生张力。跆拳道中缓慢且恒定速度的冲拳和踢击也是类似的例子。肌肉长度和关节角度发生变化, 但肌肉张力保持接近恒定。我们可以期望通过执行这种收缩来获得增强肌力的

等张收缩示例

效果。我们可以通过增加工具或物体的重量来最大限度地提高肌力。

三. 等动收缩

在等动收缩过程中, 肌肉以恒定速度收缩。等动收缩涉及施加最大力量, 例如将我们的关节固定在机器上, 保持机器的速度恒定, 进行等速肌力测试 (如使用Cybex)。因此, 当我们进行一般运动时, 包括跆拳道, 我们不使用等动收缩。我们在使用测力仪进行肌肉评估或在受伤后进行康复修炼时使用等动收缩。

4 __ 跆拳道与神经系统

(1) 神经系统的概念

神经系统

　　神经系统最重要的作用是处理和传输信息。例如, 在实战中, 观察对手向前发起的攻击是接收信息过程的一部分。我们通过视觉接收的信息会被传输到中枢神经系统, 即大脑。大脑会对输入信息进行综合分析和判断。大脑发出的指令通过各个神经传输到肌肉。在实战中, 我们可以用反击踢击来应对对手的攻击。在示范中, 我们看着远处的目标物, 并接收处理有关其高度的信息。在品势中, 关于演武线的信息, 即所处位置的信息, 会由神经系统接收, 然后做出适当的反应。

　　神经系统由神经细胞组成, 也称为神经元。我们可以通过反复进行分析、判断和反应的修炼来修炼我们的神经系统以更快、更有效地响应。跆拳道修炼涉及到运动学习过程。反复技能修炼使相关信息的处理速度更快, 或者说特定技能的掌握更加纯熟。此外, 跆拳道修炼可以用来加强神经系统功能, 促使年轻人正常的发展运动, 并改善老年人的姿势和平衡控制。

了解神经元

- 神经元最重要的功能是在接收到刺激时产生和传输电流。
- 神经元主要由树突和轴突组成。突触是神经元之间的连接。
- 一个神经元的树突与另一个神经元的轴突末梢接触。突触 (神经递质) 在将电信号从轴突末梢传送到其他神经元的树突中起着重要作用。

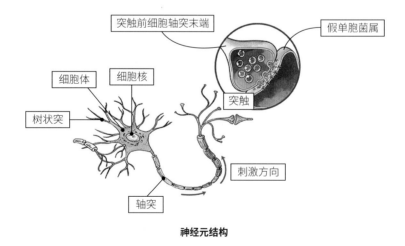

神经元结构

神经系统结构

神经系统通常分为中枢神经系统和周围神经系统。中枢神经系统包括大脑和脊髓。大脑和脊髓位于身体的中心，因此被称为中枢神经系统。中枢神经系统通过我们的各种感觉器官（如视觉、听觉、触觉等）收集并控制接收到的信息。另一方面，周围神经系统是一个将中枢神经系统与身体相连的庞大神经网络。它接收外部信息并将其传输到中枢神经系统，并将来自中枢神经系统的指令传输到身体的每个器官。

在实战中，观察对手进攻时收集到的视觉信息通过周围神经系统传输到中枢神经系统。然后，基于这些信息，中枢神经系统发出指令以产生适当的反应。这些指令随后通过周围神经系统传输到肌肉。

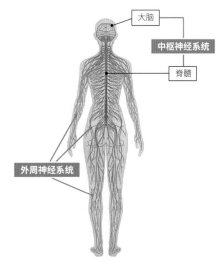

中枢神经系统和周围神经系统

(2) 跆拳道修炼与神经系统机能

跆拳道修炼对神经系统的影响

跆拳道修炼提供了与运动控制相关的各种经验，运动控制是指产生和控制姿势、平衡或有意识运动的过程。跆拳道技能包括所有提高运动控制能力所需的动作（步伐、踢击、格挡、冲拳等）。因此，从神经系统的角度来看，跆拳道修炼对青少年发育、患有运动控制障碍的成年人以及肌肉神经协调功能下降的老年人具有很好的效果。

跆拳道修炼与兴奋性和抑制性神经调节

肌肉的神经控制取决于兴奋性和抑制性神经元之间的相互作用。神经元通过释放兴奋性和抑制性神经递质将信号传递给其他神经元。神经元不能同时释放这两种类型的神经递质。

跆拳道的所有动作都是通过控制兴奋性和抑制性刺激来完成的。在实战中，当你发现对手正在躲避你的攻击时，你的大脑会立即发送抑制性刺激，让你的脚停止踢出。同时，它向其他肌肉发送兴奋性刺激，使你的身体迅速回到中心位置，恢复平衡而不至于跌倒。

在击破过程中的神经调节原理

我们经常看到人们在高压力的情况下发挥出异常或接近不可能的力量。这涉及到我们的大脑如何处理抑制性和兴奋性刺激。在紧急情况下，大脑屏蔽所有抑制性刺激，并向所有神经元传递比平时更强的兴奋性刺激，使一个人能够发挥出异常的力量。这可以通过长期修炼来实现。击破是这种现象的代表性例子。长期的击破修炼提高了大脑屏蔽抑制性刺激的能力，使我们能够将更多的力量集中在一个点上。此外，当我们发出强烈的发声时，我们能够使用更多的力量，因为喊叫部分地屏蔽了来自大脑的抑制性刺激。

(3) 跆拳道技术的掌握与神经系统

初学者的技术掌握

锥体外束参与技术的掌握过程。它抑制兴奋性刺激，从而阻止不必要神经脉冲的传输，使运动更加顺畅和有效。

当初学者开始学习横踢时，身体非常不稳定，因为完成动作时必须将一只脚放在地上支撑自己，同时用另一只脚在腰部以上高度踢出。这不是日常的活动。在完成这个踢法时，神经系统面临新的挑战。中枢神经系统接收到诸如脚对地面施加的压力（触觉）以及在踢出时需要关注什么（视觉）等多种信息，并进行综合处理。根据接收到的信息，中枢神经系统向所有肌肉发送兴奋性或抑制性刺激，指示它们使出适当的力量以提高身体稳定性。同时，它连续收缩踢腿的肌肉，并旋转腿以踢中目标。

这个过程将在初学者的神经系统中不断重复。修炼者还将进行更复杂的动作，需要考虑的不仅是下半身，还有保持上半身固定、手臂动作和腰部的使用。每次修炼时，初学者在协调动作时都会经历反复试错。然而，通过反复练习踢击，运动神经通路（即锥体外束）变得更加宽广，中枢神经系统传递兴奋性或抑制性刺激的速度也增加。此时，初学者对横踢的掌握已达到合格的标准。

熟练者的技术提高

对于资深的修炼者而言，神经系统同样重要。在动态情况下，如实战过程中，优化神经系统的功能非常重要，可帮助修炼者对于对手不断变化的动作做出适当的反应。例如，我们通过视觉接收关于对手动作的信息，迅速做出判断并进行中枢神经系统的处理。这也可以通过重复修炼来掌握。就像初学者能够通过修炼自如完成横踢动作一样，资深修炼者经过修炼，也可让实战技能达到瞬时甚至无意识反应的水平。以这种方式处理信息的能力在所有跆拳道修炼中都很重要，包括品势和表演动作的完成。

5 —— 跆拳道与循环系统

(1) 循环系统的概念

循环系统

循环系统对人类生命至关重要, 它是一个关键的生命维持系统, 负责人体内物质循环和气体(如氧气)输送。例如, 心脏作为循环系统的主要器官之一, 起着等同于泵的作用, 将血液输送至全身, 实现氧气携带、废物排除、营养供应、体温维持以及激素输送等多种功能。一些基本的体能训练, 如连续踢腿动作、反复的品势练习以及跑步等, 都能有效激活循环系统。修炼者在运动时, 可立即感知到循环系统的运动反应(如心率或体温变化)。

心脏的结构

为了理解循环系统, 我们需要了解心脏的结构, 因为心脏是循环系统的核心器官。心脏是由两个心房和两个心室组成的肌肉囊。左右心房分别接收经过体循环和肺循环的血液, 然后收缩并将血液输送到心室。随后, 左右心室通过收缩将血液分别输送至肺部和全身。

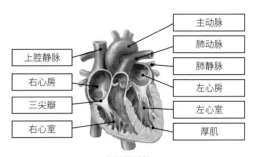

心脏的结构

血液循环

血液循环分为体循环和肺循环, 它们分别描述了心脏泵出的血液在身体内流经的不同循环路径。在体循环中, 血液从左心室泵出后, 经过主动脉流向肺部以外的身体各部位。然后, 血液作为静脉血返回到右心房。而肺循环则专门负责将血液输送至肺部。右心室泵出的血液(其中的氧气已被消耗)通过肺动脉送至肺部。经过氧合后的血液通过肺静脉返回左心房。

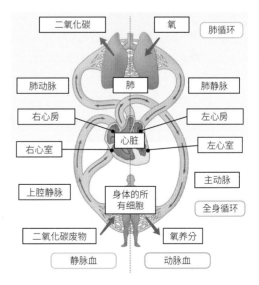

体循环和肺循环

(2) 跆拳道修炼与心脏的反应

心输出量对运动的反应

运动会导致心输出量增加。心输出量是指心脏每分钟从心室泵出的血液量。通常情况下,人体在静息状态时的心输出量为每分钟4至6升,而在剧烈运动时,这一数值可增加至每分钟高达30升。当然,具体数值会因人而异。心输出量的计算方式为每搏输出量(心室每次搏动输出的血量)与心率(每分钟心肌收缩次数)的乘积。

了解心输出量

- 在静息站立姿势下,男性的每搏输出量一般在70-90毫升,女性则在50-70毫升。
- 由于成年人的心脏相对青少年更大,成年人的心输出量通常较高。然而,这主要是由于每搏输出量的增加,而非心率的提高。实际上,成年人的心率相较于青少年更低。
- 在非运动状态下,如因心理焦虑或兴奋,心输出量也可能增加50-100%。

实战过程中心率的变化

在实战过程中,迅速展开进攻和应对敌方攻击会导致剧烈的心肺循环反应。此外,在三回合的实战比赛中,每一回合心肺循环系统的反应都会有所不同。根据一项针对跆拳道专业大学生运动员的研究,心率会随着实战训练回合数的增加而上升。研究还发现,心率可提高至最大心率的87-93%。与100%的最大心率相比,这表明实战训练确实属于高强度运动,对循环系统的激发作用十分显著。

品势训练过程中心率的变化

跆拳道修炼者在品势训练中对速度和强度的控制能力受其训练水平和身体状况的影响。研究人员对专业跆拳道大学生在品势练习过程中的心率进行了测量,得出了各种品势的平均心率数据: 高丽品势每分钟124次,金刚品势每分钟117次,太白品势每分钟121次,平原品势每分钟116次。在高丽和太白品势训练中,平均心率为最大心率的40%; 而在金刚和平原品势训练中,心率为最大心率的35%。这些数据表明,所有品势训练均属于低强度运动。因此,无论性别和年龄,所有跆拳道修炼者都可以将品势训练作为一种合适的有氧运动。品势训练的另一个优势在于,修炼者 可以通过控制每个动作的力量,以及调整适当的节奏和技巧,来控制训练强度。

(3) 通过跆拳道锻炼改善循环系统

增强心脏功能

长期的跆拳道训练有助于增强循环系统,例如心脏的功能。跆拳道中各种强度的运动都可以对心脏的结构和功能产生积极影响。例如,耐力运动员(如长跑运动员)通常具有较大的左心室,而力量运动员(如铅球、举重运动员)的心壁较厚。然而,跆拳道修炼者的心脏发育和心脏功能改善更为全面,不会呈现特定的发育模式。跆拳道训练的最大好处在于增加了单次心输出量,使得在静息或最大运动强度下的心率降低,这意味着心脏所承受的压力减轻。

改善血液循环

长期从事跆拳道训练可以提高红细胞和血红蛋白的数量，进而增加氧气的携带能力。此外，由于血浆的增加使血液黏稠度降低，降低了血栓形成的风险并减少了血流阻力。换言之，这有助于改善血液循环并有效预防相关疾病。

红细胞与血红蛋白

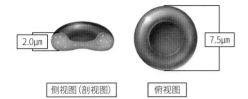

2.0μm
7.5μm

侧视图(剖视图)　　　俯视图

红细胞

- 红细胞负责将氧气通过血液输送到身体各个细胞。
- 血红蛋白是红细胞中一种能够结合并携带氧气的蛋白质。
- 一个红细胞中最多有95%的体积由血红蛋白分子构成。

提高最大有氧运动能力

许多研究表明，跆拳道训练能够有效提升我们的最大摄氧量。在一项针对成年男性的研究中，参与者在完成12周跆拳道训练计划后，最大摄氧量显著增加。在另一项研究中，患有代谢综合症的男中学生和女高年级小学生参加了跆拳道训练。研究结果显示女学生的最大摄氧量有所提高。这些研究结果说明跆拳道训练有助于提高参与者的最大摄氧量，进而提升其最大有氧运动能力。通常，最大有氧运动能力的提高被认为可以直接增进健康水平并预防疾病。

6 __ 跆拳道与呼吸系统

(1) 呼吸系统

呼吸系统

呼吸系统对生命至关重要。呼吸包括两个主要过程，即吸气和呼气，这两个过程为身体提供氧气并排出在能量生产过程中产生的二氧化碳。

在跆拳道训练中，呼吸还具有特殊意义。修炼者可以通过控制呼吸来协调各种技术，如手技、脚技和动作，并集中注意力。因此，跆拳道训练不仅会改变呼吸系统，还涉及到有意识地控制呼吸。跆拳道指导者必须使修炼者对呼吸机制有一个清晰且科学的认知。

呼吸系统的结构

我们通过鼻子和嘴巴吸入的空气(氧气)经过咽、喉、气管和支气管，最终到达肺泡。这条路径通常被称为呼吸道。呼吸道分为上呼吸道和下呼吸道两部分。上呼吸道过滤所吸入空气中的杂质并适当调节空气的温度和湿度。下呼吸道负责完成气体交换, 这是真正的呼吸过程。在呼吸道末端, 形状像葡萄的肺泡负责气体交换。左右肺共有大约3亿个肺泡。

肺泡周围是肺泡毛细血管。每个肺泡周围有大约2,000个毛细血管。氧气在这些肺泡中进行转移, 与周围毛细血管中的血液发生气体交换。也就是说, 流经肺泡毛细血管的血液从肺泡中摄取氧气并释放二氧化碳。

每个肺都为双层薄薄的胸膜所包裹。外胸膜和内胸膜之间的狭小空间被称为胸膜腔。胸膜腔内没有空气, 压力总是比肺内的压力稍低。因此, 在吸气时, 肺体积增大, 内胸膜可以朝外胸膜扩张。

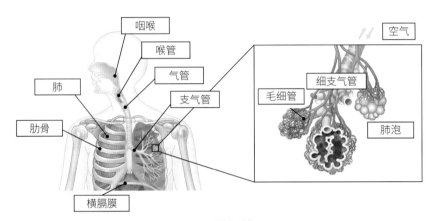

呼吸系统的结构

外呼吸和内呼吸

- 外呼吸, 也称为肺呼吸, 是肺泡与肺泡毛细血管之间进行气体交换的过程。
- 内呼吸是指毛细血管与组织间的气体交换过程, 也是细胞营养物质氧化产生能量的过程。
- 简而言之, 外呼吸为肺提供氧气, 而内呼吸为细胞提供氧气。
- 在跆拳道修炼者执行技术时, 例如在品势结束时或在实战中踢到目标的瞬间, 可能会暂时屏住呼吸, 此时外呼吸暂时暂停。然而, 内呼吸不能停止, 因为细胞如不接收氧气, 身体将无法生存。

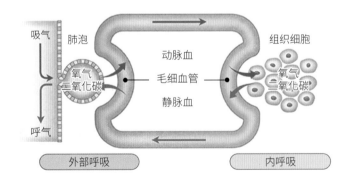

(2) 呼吸过程

呼吸是我们吸气和呼气的过程。在这个过程中, 我们可以观察到身体的一些变化。例如, 在吸气过程中, 肋骨向上抬起, 膈膜(位于胃和胸部之间的肌肉)下降。在呼气过程中, 肋骨回到原位, 膈膜上升。胸腔的宽度和压力也会随着吸气和呼气的进行而发生变化。

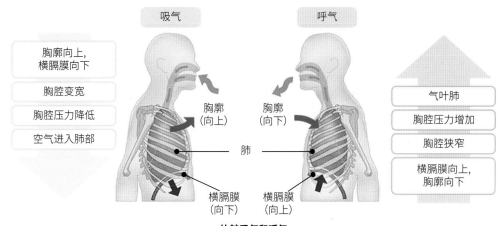

比较吸气和呼气

(3) 跆拳道训练与呼吸

跆拳道训练对呼吸的影响

为了理解跆拳道训练与呼吸之间的关系, 我们需要了解通气量这一概念。通气量是指每分钟进出肺部的空气量, 与运动强度有关。在训练前、训练中和训练后, 我们的通气速率是不同的。

在训练前, 通气量处于稳定状态, 当然每个人的通气量会有所不同。在静息状态下, 通气量平均约为400至600毫升, 人们通常每分钟呼吸10到25次。然而, 在训练开始前, 通气量往往会增加, 因为修炼者在为即将开始的训练做好心理准备时, 大脑受到刺激, 身体变得活跃。

一旦训练开始, 通气量逐渐增加, 因为运动中的肌肉和关节产生的信号会立即传递到呼吸中枢。通气量的变化受训练强度的影响。在低强度训练过程中, 通气量在达到某一点后会保持稳定。然而, 在高强度训练中, 通气量会持续增加。此时, 我们可能会觉得像是 "喘不过气来"。

一旦训练结束, 通气量迅速减少并恢复正常。恢复正常所需的时间取决于训练的强度和时长。例如, 从高强度训练中恢复所需的时间比从低强度训练中恢复所需的时间要长。

跆拳道训练与呼吸类型

呼吸类型有多种, 其中胸式呼吸和腹式呼吸最为常见。胸式呼吸主要依赖肋间肌, 即胸部肌肉的活动, 而腹式呼吸主要依赖膈膜的活动。

胸式呼吸

仅用胸部呼吸

用法：通常用于有氧运动

示例：在跆拳道实战期间的连续攻击或基本体能锻炼时，当感到喘不
　　　过气时，会使用胸式呼吸。

腹式呼吸

从腹部深处呼吸

用法：冥想或静息状态时

示例：运动后冥想时的呼吸

胸式呼吸与腹式呼吸的比较

在休息状态下，腹式呼吸相较于胸式呼吸更为高效。

- 两种呼吸方式之间最大的区别在于效率。
- 研究表明，腹式呼吸效率更高。
- 与胸式呼吸相比，腹式呼吸能增加吸入和呼出的空气量。这种呼吸量的增加意味着在跆拳道训练过程中可以实现
　更高效的呼吸。

2 跆拳道力学

1 — 跆拳道力学的理解

运动生物力学是一门研究运动或锻炼情境中各种力量原理的学科。它探讨如何通过位置、速度和角度等多个变量的相互作用来创造高效的运动和力量。理解运动生物力学背后的原理有助于更有效地学习运动技术,预防受伤并了解受伤原因。

跆拳道生物力学旨在揭示跆拳道技术背后的科学原理,具有多方面的应用。例如,它有助于提高技术的使用效率,如增加横踢的速度和力量,或提高某个姿势的稳定性。对于跆拳道指导者来说,掌握跆拳道生物力学知识可以实现以下目标: 首先,通过基于科学的解释和教学方法,可以使教学更具专业水准。其次,了解跆拳道技术的生物力学原理,有助于预防训练和使用技术过程中的受伤风险。第三,通过对跆拳道技术进行生物力学分析,师范可以帮助修炼者提高技术和运动表现。

跆拳道生物力学的目标

2 — 跆拳道的力学原理

(1) 线性运动和角度运动

从运动生物力学的角度来看,跆拳道技术可以分为涉及线性运动和涉及角度运动的技术。线性运动(平移运动)是指我们沿直线或曲线以恒定速度同向移动身体部位。线性运动的一些典型例子包括前行步中的迈步向前, 品势中的弓步, 实战中同时向前迈双脚, 以及向后迈步。线性运动要求身体所有部位同时以相同的距离和方向移动。

角度运动(旋转运动)是指围绕一个点或轴旋转的运动。大多数踢腿动作都涉及明显的角度运动。例如, 在前踢中, 我们围绕髋关节移动大腿, 围绕膝关节移动小腿, 围绕踝关节移动脚。后旋踢动作则是围绕整个人体垂直轴线的角度运动。

弓步动作中的身体线性运动　　前踢过程中腿部的角度运动　　后旋踢过程中腿部的角度运动

大多数跆拳道技术涉及到既有线性运动又有角度运动的综合动作。

例如, 在前踢过程中, 可以观察到踢出的腿围绕每个关节的角度运动, 而上半身在没有明显风险因素的情况下进行线性运动。因此, 总体而言, 前踢是一个综合动作。

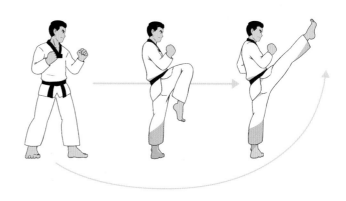

前踢是综合动作

我们的身体有多少个部位?

人体分为14个部位
• 腿部 : 脚(2), 小腿(2), 大腿(2)
• 手臂 : 手(2), 前臂和上臂(4)
• 其他部位 : 头部, 躯干

为什么我们在锻炼前要做伸展运动?

• 每个关节作为不同身体部位之间的连接, 都有各自的活动范围。
• 若关节超出其活动范围, 可能导致严重的损伤。
• 要扩大关节的活动范围, 定期进行柔韧性练习非常重要。
• 如果我们扩大关节的活动范围, 就可以更灵活、顺畅地展示技术, 从而降低受伤的风险。

(2) 质量和重量

质量和重量的区别

质量是物体固有的数量属性。重量是物体受到地球引力的作用而产生的力。质量为1千克的物体在地球引力作用下的重量为9.8牛顿。如果一个在地球上重1,200牛顿的人去到引力较弱的火星，身体重量会减少到六分之一，即200牛顿。然而，这个人的质量(即身体质量)在地球和月球上是相同的。

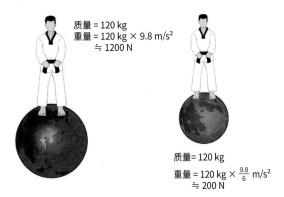

质量 = 120 kg
重量 = 120 kg × 9.8 m/s²
≒ 1200 N

质量 = 120 kg
重量 = 120 kg × $\frac{9.8}{6}$ m/s²
≒ 200 N

地球和月球上的质量和重量

跆拳道中的重心

在所有运动中，了解重心都非常重要。跆拳道训练需要利用到整个身体，包括各种踢法和站姿，需要多次改变重心。在跆拳道中，重心是指身体可以保持静平衡的点。例如，在从准备姿势转换到弓步冲拳时，重心会随着手臂和腿的移动而移动。在右鹤立步金刚格挡过程中，重心会向上移动。

重心　　　　　　　重心　　　　　　　重心

几种跆拳道技术练习过程中重心的变化

(3) 力

力会改变物体的运动状态(如速度、方向、模样等)。力越大，对物体运动的影响越大。力的大小取决于施加力的物体的质量和速度。例如，在进行击破练习中时，快速击打产生的作用力受体重影响，一般体重越大，作用力越大。当然，影响击破效果的还有很多其他相互影响的变量，如击打点和技术，并非完全由力的差异来决定。

力有两种类型: 内力, 是指从体内产生的力; 外力, 是指从外部产生的力。内力源于肌肉力量, 而外力涉及重力、地面反作用力、摩擦力以及作用和反作用等。

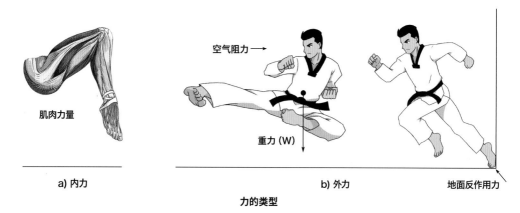

力的类型

肌肉力量

肌肉力量是肌肉收缩产生的力。肌肉收缩得越快, 释放的力就越小。肌肉收缩得越慢, 释放的力就越大。因此, 肌肉产生的力大小与肌肉收缩的速度有关。

为什么我必须放松身体才能打出更快的冲拳?

- 初学者为了增强冲拳的力量, 会试图给肩膀和整个手臂施加很大的力。然而, 这样做并不能增加冲拳的力量, 因为伸展手臂的肌肉和收缩手臂的肌肉同时作用, 会彼此抵消。
- 在做冲拳动作时, 我们必须尽量放松负责收缩手臂的肱二头肌, 同时将最大的力量施加到伸展手臂的肱三头肌上, 以便做出有力的冲拳。

重力

重力这个概念因为牛顿的苹果故事而广为人知。重力是地球的引力。正因为有重力, 我们推倒一个物体容易, 再将它扶起来则较为费力, 而且下楼比上楼更省力。只要我们在地球上, 我们总是受到重力的影响。

跆拳道通过踢、跳、击打和格挡来克服重力。例如, 在腾空前踢和腾空侧踢等技术中, 我们需要在跳跃到空中时进行这些动作, 而此时身体正受到地球引力的下拉。跆拳道也有利用重力的地方。在拳头击破时, 如果我们脚不离开地面, 就无法充分借助重力。但是, 如果我们稍微跳跃后再击打木板, 我们就能更多地利用重力。

利用重力的训练方法

- 为了提高跆拳道的竞技力或技术水平, 可以使用克服重力的训练方法。
- 克服重力的训练方法包括举重训练和跳跃训练。
- 举重训练包括踢沙袋和使用举重器材;跳跃训练包括原地跳跃和蹦床锻炼。

举重训练

跳跃训练

地面反作用力

当我们用力将脚推向地面以实现原地跳高时, 地面也会向我们的脚施加同等大小的力。此时产生的力称为地面反作用力。在跆拳道的品势中也有利用地面反作用力的地方。例如, 当我们处于准备姿势时, 我们的地面反作用力迅速增加。以前脚掌先接触地面, 然后是后脚掌接触地面, 这样会迅速增加地面反作用力, 产生的作用力远大于正常行走时地面的反作用力。在正常行走中, 后脚掌先接触地面, 但在跆拳道品势动作中, 手臂和脚的运动相互关联, 需要以前脚掌先接触地面, 以便控制上半身的重心。

(4) 牛顿运动定律

牛顿运动定律是构成经典力学基础的三个物理定律。这些定律解释了作用在物体上的力与由该力引起的运动之间的关系。

第一定律: 惯性

惯性是物体对其固有属性发生变化的阻力, 例如其熟悉的特征或状态。因此, 除非有外力干预, 物体将继续保持现有状态。例如, 当快速行驶的汽车突然被刹车时, 它会沿着原来的方向继续移动一段距离。同样, 当汽车开始行驶时, 驾驶员会感到身体被向后推。

根据惯性定律, 惯性可分为静态惯性和动态惯性。静态惯性是指静止物体保持静止状态的倾向。动态惯性是指移动物体持续移动的倾向。物体的质量越大, 其惯性就越高, 使其形态更难改变。相反, 物体的质量越小, 其惯性就越低, 使其形态更易改变。

质量小	质量大
惯性小	惯性大
易于改变	难以改变

按重量级划分的质量和惯性

在跆拳道实战中, 质量是划分重量级别的依据。高重量级别的运动员具有较大的惯性, 而低重量级别的运动员具有较小的惯性。为了在实战中取得优势, 运动员必须具备在瞬间停止或移动时迅速改变身体状态的能力。因此, 为了在各自的重量级别内取得优势, 运动员应保持较低的质量和惯性, 以便快速应对不断变化的情况。然而, 高重量级别的运动员, 即质量较大的运动员, 也可以通过大量肌肉训练来增强反应能力和敏捷性。通过提高我们的力量和敏捷性, 我们可以克服惯性, 从而提高动作速度。

利用惯性进行敏捷训练

- 侧滑步: 这种训练提高了从左向右或从右到左改变方向的能力。这是一种具有代表性的敏捷性练习, 有助于培养修炼者迅速改变方向的技术。
- 之字步: 修炼者在快速地斜向移动的同时, 躲避摆放的杆子。这种训练有助于在实战中快速躲避对手的攻击并发动反击。
- 触锥: 修炼者静止站立, 然后迅速触碰指定的锥体。这种敏捷训练有助于提高在保持静止后瞬间改变方向的能力。

第二定律: 加速度

加速度是指物体运动速度的变化率。当力作用于静止的物体时, 物体开始移动。如果力持续作用于移动的物体, 物体将移动得更快, 产生加速度。

加速度与力成正比, 与质量成反比。也就是说, 如果对质量较小的物体施加较大的力, 加速度会较大。然而, 如果对质量较大的物体施加较大的力, 加速度会较小。例如, 在跆拳道训练中, 当用脚击打一个沉重的沙袋时, 沙袋会摆动。沙袋的状态因施加的力而改变。此时, 沙袋的加速度大小会根据修炼者踢腿的力度(施加的力)和沙袋的质量(重量)而有所不同。

加速度定律

重量级运动员的动作是否一定比轻量级运动员的慢?

• 实际上, 并非所有重量级运动员都比轻量级运动员动作慢。如果重量级运动员经过大量的肌肉训练, 则可以更好地克服自身质量带来的惯性, 表现出更快的速度。

• 重量级运动员需要加强肌肉力量, 以提高运动速度。然而, 如果肌肉增长过多, 运动速度可能因为增加的肌肉质量而受到影响。重要的是要以平衡的方式锻炼快速收缩肌纤维(白肌肉), 以提高速度, 以及以平衡的方式锻炼慢速收缩肌纤维(红肌肉), 从而增加耐力。

第三定律: 作用力和反作用力

根据作用力和反作用力的定律, 当两个物体相互作用时, 它们彼此施加的力大小相等, 方向相反。当物体A施加力到物体B时, 物体B的反作用力等于物体A施加的作用力。然而, 物体B施加的反作用力与物体A施加的作用力方向相反。

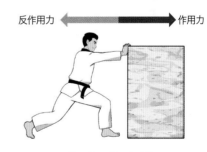

作用力-反作用力定律

所有跆拳道技术都涉及行走、跑步、跳跃、踢腿或击打地面。为了进行这些技术, 修炼者用脚向地面施加力, 同时地面以相反的方向施加同等大小的力, 从而产生运动。如果在沙子或冰面这样不能有效传递力的表面上进行踢腿, 脚与地面之间的摩擦力不足以产生足够的反作用力, 因此很难执行正确的动作或产生强力的一击。

击破的秘密：作用力和反作用力定律

- 当你用跆拳道技术击打目标时，目标会施加相同大小的反向力，这会让你的脚感受到冲击力。目标保持稳定的力称为反作用力，这与目标状态的稳定程度密切相关。如果目标物牢固地固定，作用力就能很好地传递到目标。反之，如果目标物没有很好地固定，它在推力作用下会后退，冲击力会被吸收掉一部分，反作用力会减小。
- 因此，为了成功地进行击破，目标必须牢固地固定。

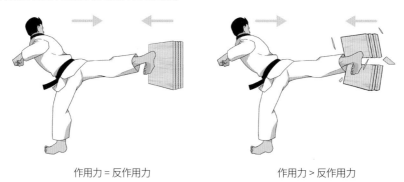

作用力 = 反作用力　　　　　　　　作用力 > 反作用力

利用作用力-反作用力定律进行击破的示例

(5) 动量

一个物体的动量是其质量和速度的乘积，表示在运动中用质量使其停止的难度。例如，一辆快速行驶的汽车具有较高的动量，难以停止；而一辆慢速行驶的汽车具有较低的动量，更容易停止。还应注意，无论一个物体(如卡车)有多重，如果它不移动，它的动量将为零(0)。

在跆拳道中，实战时修炼者进行攻击和防守，会通过增加身体动量来提高击打的力量。可以使用蓄力原理来增加击打中的动量。利用这个原理，我们可以通过在长距离上施加力来增加运动的速度。在跆拳道的威力击破中，通过将拳头拉到身体后方，进行大幅度的蓄力，然后再挥出拳头，而不是挥出短距离的直拳，可以获得更大的力量。拳头在长距离运动中获得力量，从而增加其速度和动量。如果你迈步冲拳，冲拳会变得更快、更有力，可能做出更强大的击破。

利用蓄力原理进行强力击破

为什么跆拳道比赛要使用按重量进行的级别划分?

- 在实战中使用按重量的级别划分, 是因为涉及到直接的攻击。
- 通常, 重量级运动员产生的动量大于轻量级运动员, 两者之间存在力量差距。为了保护运动员, 采用了按重量进行的级别划分。
- 为了确保公平竞争, 创建了若干重量级别, 以便具有相似动量的运动员可以相互竞争。

奥运会男女重量级别

男子		女子	
<58公斤	最多58公斤	<49公斤	最多49公斤
<68公斤	超过58公斤, 低于68公斤	<57公斤	超过49公斤, 低于57公斤
<80公斤	超过69公斤, 低于80公斤	<67公斤	超过57公斤, 低于67公斤
>80公斤	超过80公斤	>67公斤	超过67公斤

(6) 冲量与动量的变化

冲量是施加于物体的力与施加时间的乘积, 它衡量的是物体在碰撞中动量的变化。虽然动量可以由一个物体产生, 但冲量只能在一个物体与另一个物体碰撞时产生。

当两个物体相撞时, 一个物体增加动量, 另一个物体减少动量。例如, 当棒球棒击中球时, 球棒会减速, 其失去的动量传递给球, 使球在空中飞行。球获得的动量与棒失去的动量相同。因此, 飞行中的球接收到的冲量等于球棒动量的变化(失去的动量)。在这个过程中, 棒和球发生碰撞, 但两个物体的质量都没有改变, 只有速度发生变化。

跆拳道中, 一些减少冲击力的技术正是利用了动量变化的原理。通过增加两个物体之间碰撞的时间, 可以吸收冲击力。在实战中, 我们在受到对手的攻击时后退一步, 因为后退可以显著减少攻击的冲击力。尽管我们不能削弱对手的力量, 但我们可以通过增加碰撞时间来减少对方施加到我们身上的力量。

保护装备的作用

- 我们在跆拳道竞技中使用的护具有着缓冲攻击时击打的持续时间。
- 在跆拳道早期, 竹制护胸曾用于在比赛中分散冲击力。然而, 由于对手的冲击力集中在单根竹片上, 竹片有时会断裂, 导致穿戴者肋骨骨折。此外, 竹制护胸没有增加击打持续时间, 而且这些垫子经常导致击打者的手脚受伤。
- 经过一段时间, 竹制护胸被聚氯乙烯护具所取代, 它们能够分散压力并提供额外的保护。因此, 跆拳道运动员开始穿戴具有一定弹性和强度的专用保护带以防止受伤。

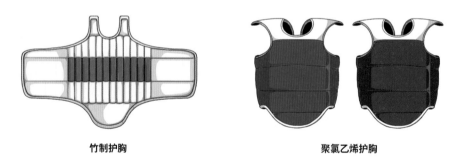

竹制护胸　　　　　　　　　　　　聚氯乙烯护胸

(7) 惯性矩

惯性矩是指一个物体绕某一轴旋转时保持旋转的倾向。这就是为什么惯性矩也被称为转动惯量的原因。使具有较高转动惯量的静止物体旋转，或停止具有较高转动惯量的旋转物体都较为困难。例如，1公斤的球系在绳子上旋转或停止要比10公斤的球系在绳子上旋转或停止要容易，这意味着10公斤的球具有较大的惯性矩。

惯性矩主要适用于旋转或旋转物体。例如，在网球中，我们有时用双手握拍进行较短的挥动，或用一只手进行较长的挥动。短挥动快但力度较小，而长挥动慢但力量较大。

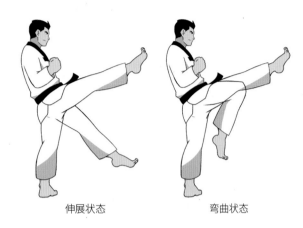

伸展状态　　　　　弯曲状态

前踢的惯性矩

惯性矩在跆拳道的前踢中也得到了应用。执行前踢时，如果踢腿伸直并向上举起，其旋转半径增加，速度减慢。如果踢腿向上举起时弯曲，移动所需时间缩短，能够更快地击中目标。

为什么在空中翻转时我们必须蜷缩身体?

- 在跆拳道的示范技巧之一——后空翻(空中动作)中，翻转时身体必须尽量蜷缩。
- 蜷缩可以减少质量分布和长度，从而减少惯性矩，使得在空中更容易快速旋转。
- 然而，最近示范技术有所改进，越来越多的修炼者在空中翻转时不再蜷缩身体。这种相对缓慢的空中翻转通常是为了增加示范的艺术性。

后空翻

伸展后空翻

(8) 均衡、平衡和稳定性

均衡是指作用在物体上的力和外力的总和为零(0)的状态。均衡可以分为静态均衡和动态均衡。静态均衡指作用在物体上的力和外力的总和为零(0)且物体保持静止的状态。当两个力大小相等且作用方向相反时, 它们会互相抵消, 使其总和为零(0)。当一个物体处于动态均衡状态时, 由于作用在其上的力以平衡的方式抵消, 其速度保持恒定。例如, 在大风天气里, 我们逆风行走时会稍微向前倾斜, 因为我们身体的倾斜和风的力互相抵消, 从而达到平衡。

重心	高	中	低
基底面	窄	中	宽
稳定性	低	中	高

稳定性随着运动发生的变化

平衡是控制均衡状态的能力。在跆拳道生物力学中, 平衡是保持身体重心在基底面(物体与地面接触处形成的平面)内的能力。具有良好平衡感的跆拳道修炼者能很好地维持均衡状态, 并减弱干扰力(重力、摩擦力、空气阻力等)的影响。我们通过测量闭眼单脚站立, 双手贴身的时间来测试我们的平衡能力。如果我们不能持续超过15秒, 那么我们的平衡能力就有问题。

稳定性是指人体在维持某种姿势的平衡中抵抗不断变化的运动的能力。稳定性和活动性是相反的概念。高稳定性的姿势有助于保持平衡, 但稳定的姿势会增加改变位置或移动的难度。同样, 我们可以从低稳定性的位置快速地进行移动。维持稳定性的决定因素如下: 首先, 基底面(与地面接触的区域)越宽, 稳定性越高; 其次, 身体的重心越低, 稳定性越高; 第三, 重量越大, 稳定性越高; 第四, 重心在基底面积内的重力线(质心)越多, 稳定性越高; 第五, 朝向施力方向的基底面越宽, 稳定性越高; 第六,重力线朝向施力方向移动越多,稳定性越高。

在跆拳道中, 通过弯曲膝盖、降低身体或者加宽脚距来降低重心从而增加稳定性。这就是为什么前行步比并步更稳定, 为什么弓步比前行步更稳定的原因。

在实战中, 较高稳定性是否有利?

- 较高的稳定性意味着较低的活动性。由于我们在实战中需要快速改变身体状态, 所以必须使用降低稳定性的姿势。
- 例如, 在实战中, 我们必须尽可能保持身体笔直, 使基底面尽可能小, 这样在机会出现时, 我们可以立即将重心的重力线移出基底平面, 使稳定性最小化, 并朝着攻击方向移动。

3 ___ 跆拳道技术的力学机能

(1) 力学原理在跆拳道技术中的必要性

跆拳道涵盖了各种不同的动作。在训练每个动作时, 理解其背后的力学原理至关重要。如果在初学基本动作时没有了解相关的力学原理, 那么技术的提升速度将受到限制。在训练过程中, 掌握力学原理是减少盲目尝试的最佳途径。基本跆拳道动作背后的力学原理对初学者和有经验的修炼者(师范)都具有指导意义。所有跆拳道修炼者都需要稳定的站姿, 快速的反应时间以运用格挡技术, 以及强大的进攻技术, 不给对手留下任何破绽。

然而, 仅仅了解跆拳道力学原理并不能让人正确掌握跆拳道技术。理解技术背后的原理和熟练地用身体执行这些技术是两码事。需要通过反复练习来掌握技术。当修炼者了解跆拳道力学原理时, 在技术训练中会变得更加得心应手。在训练过程中, 初学者往往需要做较大的准备动作以利用身体的反弹, 但是掌握了跆拳道力学原理的有经验的修炼者看起来动作却非常轻盈。这是因为有经验的修炼者会充分运用力学原理以提高效率, 尽管动作幅度不大, 但仍能产生强大的地面反作用力。而其膝盖弹跳和腰部旋转也会恰到好处地发挥出最快、最强的力量。

在训练过程中, 初学者可以模仿有经验的修炼者的动作。然而, 如果仅仅模仿看到的动作, 而不去理解有经验的修炼者通过多年锻炼所掌握的跆拳道力学原理, 那么执行的动作可能会不到位, 无法正确地传递力量。以品势为例, 初学者可能只用手臂发力, 而没有充分利用背部的力量。为了避免在训练中出现这样的错误, 修炼者需要深入理解跆拳道力学原理。

在训练过程中, 有时为了特定的训练目标, 需要做出违背跆拳道力学原理的动作。例如, 一种跆拳道技术涉及有意产生过大的后移, 另一种技术则通过弯曲膝盖降低姿势来增加腿部力量。这些过度的动作让我们有机会有意识地体验在实际对抗中应对意外动作的能力。如果你在基本动作训练中只重复稳定的动作, 那么你的训练将只是为了训练而训练, 而无法真正应用到实战中。这就是为什么我们需要将提高技术熟练程度的重复训练与低效

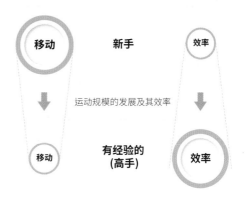

动作大小及其效率的演变

率的动作、大幅度动作和不稳定动作的训练相结合, 以实现高效动作。通过这样的训练, 初学者可以逐渐成长为能够运用力学原理, 以小幅度动作最大限度地提高效率的有经验的修炼者。

(2) 站姿动作的原理

动作的理解

我们必须在站姿中保持稳定, 以减少外部力量导致的晃动并顺利执行其他动作。当我们在执行动作时积极利用外部力量(地面反作用力), 便能够运用作用-反作用原理来施加更大的力量。从跆拳道生物力学的角度来看, 有一种高效的站立姿势。这种姿势的效率受到你的肌肉结构和功能、骨骼(骨头)、神经系统、重力和惯性的影响。如果你保持高效的姿势, 你将能够快速应对对手的敏捷动作。

弓步和马步

力学原理

· 保持姿势稳定, 以便顺利完成动作。
· 通过作用-反作用原理有效地利用外部力量。
· 保持高效的姿势, 以便快速执行反应动作。
· 改变重心, 以便顺利连接多个动作。

(3) 冲拳动作的原理

动作的理解

在冲拳过程中, 我们需要全身协调(而非仅依靠手臂的力量), 以有效地利用外部力量和身体向后的位移。通过地面反作用力产生的身体向后位移, 需要像鞭子一样以正确的顺序传递给拳头。为了提高拳头的速度, 我们必须增加拳头的运动范围(意味着要增加向后的位移)。然而, 更大的运动幅度意味着对手有更多的攻击机会, 因此向后位移也需适度控制。这就是为什么我们必须在出拳过程中将拳头从拳心朝上翻转至拳心朝下, 以产生强大的冲击力。然而, 如果在翻转拳头时对手臂施加过大的力量, 可能降低拳击速度; 因此, 需要谨慎。

冲拳

力学原理

· 在冲拳过程中, 我们需全身各部位有效的协同去实施。
· 只有在利用地面反作用力产生身体向后位移并从这种位移中获取动机时, 才能实现有力的冲拳。
· 通过像鞭子般的身体运动, 我们可以优化各部位和关节之间的协动, 从而提高冲拳速度。
· 增加拳头运动范围可以增加动量, 使我们能够传递更大的冲击力到目标。
· 较大的运动增加了遭受反击的风险, 所以我们必须适当地控制动作幅度。

为什么在出拳时要收回对侧拳头?

• 在收回对侧手臂时施加的力量越大, 我们的冲拳手臂速度就越快。因此, 我们必须收回另一个拳头, 以产生最大的动量。

• 收回对侧手臂产生直线运动, 有助于保持身体稳定。

• 如果我们在不收回对侧手臂的情况下冲拳, 我们的上半身会向前倾斜。

冲拳过程

(4) 击打动作的原理

动作的理解

与冲拳相似, 只有当我们像鞭子一样强有力且迅速地旋转身体的各个部位时, 才能实现强大的击打效果。如果我们伸展手臂进行击打, 对身体的冲击可能会损伤我们的关节。因此, 我们必须弯曲手肘以保护它们。如果我们用伸直的手臂击打对手, 那么在击打点产生的力量将通过上臂传递到手肘关节。这种对手肘关节的沉重负担接着会直接施加到韧带上, 可能导致受伤。另一方面, 当我们弯曲手肘时, 手肘关节周围的肌肉(肱二头肌和肱三头肌)会在冲击到达韧带之前吸收震动, 从而防止受伤。

力学原理

・我们的身体动作应该像鞭子一样, 从而在击打过程中增加手尖/脚趾尖的速度。

・为了增加对击打目标区域的压力, 用手/脚与击打目标区域接触面积最小的身体部位进行击打。

・为了保护关节免受施加到身体上的冲击, 我们必须弯曲手肘。

锤拳下击打和背拳

为什么手刀内击脖子是线性运动?

• 手刀内击脖子是一种攻击技巧。当手臂摆动过宽时, 可能会暴露出破绽给对手。

• 因此, 在执行此技术时, 我们不能过分地摆动手臂。我们必须尽可能沿着身体的中心线执行近乎直线的击打。这与在前踢过程中抬起膝盖以减小惯性矩的原理相同。

• 这样的击打方式不会暴露我们的弱点给对手, 并且有利于快速有力地攻击。

手刀内击颈部

(5) 格挡动作的原理

动作的理解

　　格挡中最基本的力学原理是在我们受到强大力量攻击时, 通过缓冲对手的力量来最大限度地减少损伤。为了利用这一原则, 我们可以采用让对手的攻击逐渐释放的被动防御和使用强力格挡震撼对手身体的主动防御。格挡动作需要快速的反射能力来应对对手的进攻。在运动过程中, 将身体部位(手臂)靠近身体轴线, 可以实现快速的反射动作。

力学原理

· 在受到强大力量的攻击时, 通过缓冲对手的力量来最大限度地减少损伤。

· 通过被动防御让对手的攻击逐渐释放, 或通过主动格挡震撼对手的身体。

· 在运动过程中, 将身体部位靠近身体轴线以实现快速的反射动作。

上段格挡和 助手手刀外格挡

在挡住对手攻击时, 身体会产生哪种反作用力?

· 例如, 在下段格挡中, 需结合后移用于强烈地挡住对手的攻击, 如从用脚踢地产生的下半身力量, 一直到实际执行格挡动作的手腕。

· 利用后移产生的力量进行格挡在动作结束时(对于下段格挡, 指在手腕处结束)最为有效。

(6) 踢击动作的原理

动作的理解

　　要有效地踢腿, 需利用迈步脚的起跑动作(在踢腿前与踢脚一起跳离地面)产生地面反作用力, 这是一个根据作用与反作用原理产生的外部力量。在起跑动作过程中, 我们重心的移动在击打时对我们非常有用。我们可以利用它增加在击打时的有效质量(传递到内部的力量, 实际为击打所动用的质量)。这种移动还可以在我们踢向目标时, 通过作用肌(引导动作的肌肉)和拮抗肌(与作用肌相反运动的肌肉)之

前踢和侧踢

间的相互作用增加我们的关节稳定性, 从而防止受伤。在踢腿过程中, 我们不是人为地移动迈步脚; 而是由于动作过程中和之后的身体重量转移而被动地移动。

力学原理

· 通过起跑动作, 我们利用地面反作用力的效应, 符合作用与反作用原理。

· 通过作用肌和拮抗肌之间的相互作用, 在击打时刻增加关节稳定性。

· 当我们踢脚时, 由于身体重量的转移和动作的运动, 迈步脚被动地移动。

屈膝弹腿踢与推踢中哪个更强?

· 进行有力踢腿和背后的技巧是增加有效质量(实际为击打所动用的质量)或增加速度。屈膝弹腿踢是一种快速的踢腿, 收腿速度很快, 而推踢则是在踢腿后继续推动腿部, 从而增加有效质量。

· 推踢的接触时间比屈膝弹腿踢长, 因此击打力更大。然而, 仅仅因为你用更大的力量推更长的时间并不一定意味着你会伤害到对手。如果击打力的大小相等, 屈膝弹腿踢在快速踢腿和迅速收腿的过程中产生的击打力要大于推踢的击打力, 从而对对手造成更大的伤害。

· 因此, 哪种踢法最有力取决于攻击的目的或当时的实际情况。也就是说, 在实战中, 我们的踢腿必须短而快, 所以速度很重要;而在击破时, 踢腿必须有力, 所以增加有效质量很重要。

---

3 跆拳道心理学

1 — 跆拳道心理学的理解

(1) 什么是跆拳道心理学？

跆拳道是一项追求身心统一的运动, 它与心理学的关系密切。心理学研究人类的心理和精神活动, 现已广泛应用于工作场所、家庭和社会等各种环境中, 成为认识人类行为的重要工具。运动心理学专注于研究人类在运动和锻炼中的心理和精神活动。因此, "跆拳道心理学"关注在跆拳道修炼过程中出现的心理和精神问题。

研究内容包括人们为什么修炼跆拳道, 如何持续参与跆拳道活动, 如何建立信心, 以及如何控制焦虑以发挥最佳表现。跆拳道心理学可以分为两大领域: 跆拳道训练心理学, 研究跆拳道修炼者所经历的心理过程; 跆拳道比赛心理学, 研究跆拳道运动员在比赛中所经历的心理过程。

跆拳道心理学的领域

领域	修炼心理学	比赛心理学
研究对象		
研究内容	锻炼参与, 心理健康促进	影响运动表现的心理因素
共同之处	目标设定	
因素	动机、压力、信心、专注	焦虑、意象、认知重建

(2) 跆拳道修炼的心理效果

提高专注力

跆拳道修炼涉及有意识地反复训练以掌握技术。"有意识地重复训练技术"重点不在于重复次数,而是要全神贯注地进行反复练习。为此,修炼者应该能够集中注意力并进行必要的切换。在心理学上,这被称为达到"投入"状态。达到这种状态的修炼者以身心一体的方式实施控制。在修炼过程中体验这种状态有助于修炼者有意识地控制注意力并保持专注。

通过体验成就来缓解压力

跆拳道技术可以根据难度级别划分。此外,即使我们能在一定程度上掌握某项技术,我们也需要不断的自律来达到熟练掌握的程度。在这个过程中,修炼者面临着众多挑战。通过解决和克服每一个挑战,修炼者可以体验到成就感。最终,由内心满足产生的成就感帮助我们培养对抗压力的基本抵抗力。

自我实现

跆拳道修炼的另一个好处是,它让修炼者可以自行衡量自己的身体和心理能力水平,从自我的独特视角认识自己处理问题的能力。修炼者因此会意识到自己是否具备面对跆拳道修炼诸多要求的"能力"。随着修炼者对自己能力的认识越来越清晰,就能更好地计划和采取行动,从而塑造更好的自己。

(3) 跆拳道与目标

什么是目标?

目标是我们通过实践可以或想要实现的最终结果。通常情况下,我们的"梦想"指的是这些期望的最终结果。设定目标是预先规划过程,明确如何朝着行动方向采取行动并达到目的地。

在跆拳道训练中,修炼者的目标与其心态和态度密切相关。例如,对于参加跆拳道活动的目标不明确的修炼者,可能很容易失去兴趣或无法全身心参与。另一方面,拥有明确目标的修炼者,因为有了促进身心健康、获得段位或学习技术这样的目标,往往会积极地参与各项活动。跆拳道师范必须为修炼者明确提出参加跆拳道训练的目的和目标。

设定目标的效果

跆拳道师范和修炼者可以从设定目标中得到以下结果。

一. 目标产生内在动机

我们会本能地更加努力以追求我们想要的东西和我们想做的事情。修炼者为自己设定目标意味着其有动机去实现某件事。也就是说,设定目标可有效提高和保持动机。

二. 目标有助于集中注意力

系统性的目标帮助我们清楚地了解我们需要做什么。知道我们需要做什么是专注的起点。也就是说,设定目标帮助我们将身体和精神能量集中在需要的领域。

三. 目标可以增强忍耐性

成败是生活的常态。有些修炼者很容易气馁放弃,而另一些人则会忍受并克服困难和逆境。拥有目标的修炼者对失败有很强的抵抗力。无论环境如何,即使在困难时期,拥有目标的修炼者想象着有朝一日实现目标,往往能够忍受痛苦、克服困难。

四. 目标让人更加努力

没有目标就像没有目的地在大海中漂浮的船。只有设定了目标,才可以规划路线,指明努力的方向,确定需要多大力度划桨,或者说努力的强度。也就是说,当修炼者设定了目标时,就可以看到自己需要努力的方向以及在过程中需要付出多少努力。有了这些信息,修炼者可以提高努力程度。

设定目标的原则

当然,不仅仅是跆拳道修炼者,所有人都有目标。而且,人们往往感到很难实现目标。这是因为一些设定目标的原则未得到遵守。例如,一位跆拳道修炼者的目标是执行一个高侧踢,但他没有坚持下去,因为他的目标没有包括具体细节,如他想要跳多高或者实现目标的时间表。他也不知道如何衡量自己的进步。因此,在设定目标时,必须考虑以下原则。

设定目标的原理

原理	概念
具体的目标	目标必须客观、具体，不能意义含糊。 示例：我将执行一个高侧踢。 — 我将执行一个达到肩高的侧踢。
可推测的目标	跆拳道修炼者必须能够自己衡量和评估目标 示例：我将在踢腿练习中尽力而为。 — 我将全神贯注地连续完成100次踢腿。
实践随之而来的目标	目标应能够付诸行动，不能只是停留在意图上。 示例：我将记住高丽品势。 — 我会每天练习高丽品势5次。
现实的目标	设定现实可达成的目标，而不是高不可攀的目标。 示例：我将执行与奥运选手一样高的侧踢。 — 我将执行能踢到脸部的稳定侧踢。
有固定时间的目标	为实现目标设定时间表。 示例：我将学习太极八章。 — 我将在本月底前学会太极八章。

结果目标、过程目标、执行目标

目标可以大致分为三类：结果目标、过程目标和执行目标。结果目标涉及到修炼者希望达到的目的地。过程目标是修炼者在实现结果目标的过程中必须达到的较小目标。执行目标是修炼者根据过去的表现、记录或能力而设定的目标。这三种类型目标的特点如下表所示。

三种类型目标

目标类型	特点
结果目标	• 修炼者的最终目标 • 明确的方向 • 示例：获得1段或在比赛中获得金牌
过程目标	• 实现结果目标所需的详细计划 • 修炼者通过完成这些较小的目标可以获得信心 • 示例：在进行踢腿时弯曲膝盖
执行目标	• 与自己过去的表现进行比较，而不是与他人进行比较 • 通过努力可以实现的目标 • 用作比较的依据或提供反馈 • 示例：将踢腿次数从20次增加到30次

在跆拳道中运用结果、过程和执行目标

修炼者必须设定结果、过程和执行目标。跆拳道运动员和修炼者可以设定如下目标。

跆拳道修炼者的目标设定

过程目标	执行目标	结果目标
· 将弯曲的膝盖抬至胸部 · 在品势中遵循起点和终点要求	· 将侧踢的高度从胸部提高到肩部。	· 在考试中获得1段

跆拳道运动员的目标设定

过程目标	执行目标	结果目标
· 横踢时将骨盆向内推 · 踢腿前不显示出准备动作	· 将拳击得分率从30%提高到40% · 将3轮内踢腿脸部的尝试次数从10次增加到15次	· 在下一场比赛中获得金牌

2 —— 跆拳道修炼心理

跆拳道修炼心理学研究师范和修炼者在道馆中经历的心理过程。训练心理学关注如何提高修炼者参与跆拳道的动机并提升其心理健康水平。本章介绍了修炼者在跆拳道训练过程中所经历的动机类型、压力、自信和专注力。

(1) 动机

动机是长期驱动和维持我们行为的力量。动机理论可以帮助我们回答诸如"为什么我要修炼跆拳道?""是什么样的动力使修炼者参与跆拳道活动?"和"如何说服修炼者继续参与跆拳道修炼?"等问题。

行为方向和努力强度

跆拳道训练的动机包括行为方向动机和努力强度动机。行为方向是指根据我们想要的或者我们特别感兴趣的情境来行动。例如,"我想获得一条黑带"、"我想熟练掌握击破"、"我想熟练掌握踢腿"、或者"我想赢得金牌"的想法可成为决定我们行为方向的动机因素。努力强度是指我们为实现所想要达到的目标投入多少努力和时间。即使是在相同的时间和空间内训练的修炼者,努力强度水平也会有所不同。例如,一名修炼者可能在跆拳道训练中没有付出足够的努力。而另一名渴望提高技术的修炼者会尽竭全力,投入大量的努力。

行为方向和努力强度结合在一起,可产生更大的动机。例如,因为喜欢跆拳道而每天参加训练的修炼者(行为方向)在训练过程中通常会付出更多的努力(努力强度)。经常缺席的修炼者无法将注意力集中在师范身上,通常付出的努力不足。

动机的两个因素

产生动机的过程

动机解释了人类行为的原因和影响。一般来说,我们的动机是由个人意愿决定的。然而,这种意愿通常受到社会和环境的影响。例如,跆拳道道馆的社会和环境包括师范的指导行为、修炼者的多样化经历和修炼者之间的关系。跆拳道修炼者通过与这个社会和环境的互动来满足自身的需求,其相关的欲望影响其动机水平。如果一个修炼者的社会和环境有利,且需求得到满足,就会产生内在动机,这会对修炼者的行为和努力产生积极影响。

最终,道馆环境和师范的角色会影响修炼者的动机。因此,师范应该充分了解修炼者所处的环境以及环境对修炼者的影响。动机形成的具体过程如下。

社会和环境	▶	修炼者的需求	▶	动机水准	▶	方向和强度
· 指导者的言行		· 修炼者相信自己能做到吗?(能力)		· 完全没有动机(无动机)		· 行为方向和努力强度
· 成功与失败的经历		· 修炼者自己想要吗?(自主)		· 为了获得报酬而参与(外在动机)		
· 与其他修炼者的关系		· 与他人相处是否融洽?(关系)		· 为了获得自我满足而参与(内在动机)		

激发动机的过程

一. 社会和环境

跆拳道训练是基于师范和修炼者之间的互动。师范如何教导和对待每个修炼者将直接影响每个修炼者的动机。有些师范压迫修炼者或喜欢批评,而另一些则提供选择和鼓励。一般来说,民主型的师范在激发修炼者动机方面比压迫性的独裁型师范具有优势。然而,过于民主的师范可能会导致训练效果或修炼者动机的下降。因此,师范必须根据当时的情况以及每个修炼者的具体特征和需求选择合适的教学方法。

跆拳道修炼者在道馆训练期间需与他人互动。与其他修炼者的关系是积极还是消极,也会对其动机水平产生影响。某些修炼者之间过度的竞争或依赖会导致动机水平的差异。

成功和失败的经历对修炼者来说也非常重要。在跆拳道修炼过程中,修炼者会经历无数的成功和失败,并收到积极和消极的反馈。成功的经历有助于修炼者相信其可以执行第一次学习的技术或已经熟练掌握的技术。另一方面,持续的失败会削弱修炼者执行技术的信心及其能力感。因此,师范必须引导修炼者积累小的成功。当修炼者能够成功地执行之前失败的动作和技术时,就能够在训练本身中找到乐趣,从而产生内在动机。

二. 修炼者的需求

社会和环境因素影响修炼者满足需求的程度。修炼者需求的变化源于社会和环境因素及其动机水平。也就是说,其动机水平根据其需求变化,而不是根据其师范或同伴在训练中的作用。

修炼者的需求可以大致分为三类: 能力、自主性和人际关系。首先,修炼者希望知道有些事情自己可以比别人做得更好,或者相信有些事情可以做得很好,这被称为能力。其次,修炼者希望自己做出选择和决定,希望按照自己的意愿行事。这称为自主性。第三,修炼者希望与他人相处融洽,希望得到他人的关注,需要维持一定的人际关系。这三种需求的满足程度不仅影响修炼者的动机水平,还影响其心理健康和幸福水平。师范必须了解每个修炼者这三个需求被满足的程度,并提供可以进一步满足这些需求的训练环境和计划。

三. 动机水平

我们可以将修炼者的动机分为三个层次: 无动机、外在动机和内在动机。无动机意味着完全没有动机。一个表现为无动机的修炼者对跆拳道修炼没有目标, 甚至可能觉得跆拳道很无聊。这种无聊可能会加剧, 增加修炼者想放弃的愿望。然而, 最初体验无动机的修炼者可能通过训练中师范的积极反馈、频繁的成就感以及观察积极榜样而获得动机。

外在动机是由外部因素而非内部因素所激发的动机。获得初段、获得奖杯、获得奖金、获得师范的表扬和获得社会认可, 都是重要的外在动机。例如, 如果一个修炼者继续训练是因为想获得初段, 那么这就是外在动机。

内在动机是由内部因素引起的。例如, 修炼者继续参加跆拳道的内在动机是参与本身带来的快乐和学习的喜悦。内在动机驱动的修炼者最有可能长期进行训练, 不易受外部影响(朋友、比赛中的胜利或失败等)。

动机水平

外在动机是好还是坏?

- 外在动机可以驱使修炼者勤奋修炼跆拳道, 但过度的外在动机可能会产生副作用。
- 如果提供外在动机的因素消失, 或者修炼者对该因素的兴趣减弱, 动机也可能会减弱。
- 因此, 与其表扬和奖励训练的结果, 不如提供鼓励和提升修炼者的成就感, 反而可以同时形成同在和外在动机。

四. 行为和努力

跆拳道修炼者的行为和努力程度因其动机水平而异。没有动机的修炼者不会热情地参加训练, 具有高度内在动机的修炼者训练得最勤奋。此外, 具有内在动机的修炼者清楚地知道自己为什么需要跆拳道训练以及需要付出怎样的努力, 并且这些修炼者有明确的训练目标。

(2) 压力

压力是由于外部刺激导致身体和心灵失衡。我们的身体和心灵总是在努力保持稳定状态, 但外部刺激可能会破坏这种稳定。当这种情况发生时, 我们通常会说: "我感到很有压力。"例如, 如果一个修炼者通常一次做30个俯卧撑, 而你要求其做100个俯卧撑, 他/她就可能会感到压力。

获得压力的过程

修炼者获得压力的过程包括外部刺激、刺激感知、压力反应和结果。

一. 外部刺激

情境需求是修炼者接收到的具体刺激。这些刺激可以是生理的, 也可以是心理的。例如, 为了获得段位, 在评委面前表演一套品势涉及到生理因素。而修炼者在考试前所经历的焦虑则是一种心理因素。

二. 刺激感知

刺激感知是我们接受外部刺激的过程。根据接受的刺激和对其解释的方向, 修炼者的压力效应因人而异。例如, 想象一个技术展示的情境(压力刺激)。修炼者A表现出颇有信心, 因为他/她将这次展示视为一种挑战和机会。修炼者B对可能犯的错误感到不安, 因为他/她将这次展示视为一种威胁。

三. 压力反应

压力反应是修炼者在接收和解释外部刺激后的生理和心理反应。在上述示例中, 因展示而感到压力的修炼者B会因担忧潜在错误而失去信心, 并且有心率加快或出汗的现象。他/她的肌肉可能会紧张, 无法集中注意力, 这可能导致其在通常擅长的领域出现错误。

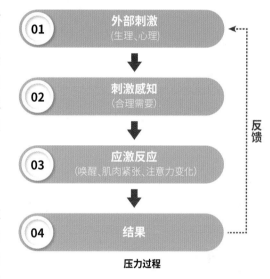

01 **外部刺激** (生理、心理)

02 **刺激感知** (合理需要)

03 **应激反应** (唤醒、肌肉紧张、注意力变化)

04 **结果**

反馈

压力过程

四. 结果

压力过程的最后阶段是结果阶段。修炼者对接收和分析的压力刺激作出反应, 影响其实际行为和反应。一般来说, 如果修炼者积极地分析情境压力, 将能够把一个压力重重的情境视为挑战。然而, 如果对其给予消极解释, 则会将同样的情境视为威胁。

压力是否有害?

- 在一项调查中, 约3万名美国人表明了对压力的态度。八年后, 研究人员将受访者的健康状况与对压力的态度进行了比较, 以研究压力与疾病之间的关系。
- 这项研究的结果表明, 认为压力有害的受访者, 无论其实际承受多少压力, 其死亡率高出平均水平43%, 而认为压力无害者, 即使承受很大压力, 死亡率比平均水平低17%。
- 因此, 压力本身无害。压力的后果取决于个体如何分析压力源。

应对压力

我们总是在面对各种各样的压力。重要的是我们如何应对压力。应对压力是识别压力并尝试缓解压力的过程。压力应对方式可以分为问题导向应对和回避应对。采用问题导向应对的策略，我们会积极地解决问题；采用回避应对，我们会设法避免或忍受问题。

采用问题导向应对的修炼者表现出积极的态度，包括寻找并解决压力的原因。例如，一名为升段做准备的修炼者可能会因为品势动作不理想而感到压力。此时，修炼者会研究动作为何无法完成并寻求解决问题的方法。另一方面，采用回避应对的修炼者可能会逃避训练课程，甚至选择放弃升段考试以减轻压力。

(3) 自信

自信是一种相信自己可以独自完成某事的信念，它包括乐观的思想和感觉，这就是为什么我们认为自信是日常生活和跆拳道训练中的重要因素。自信水平高的修炼者不会回避困难的任务或问题，而是充满热情地面对它们。即使失败了，自信的修炼者也不容易气馁。自信可以对修炼者在跆拳道修炼的许多方面产生积极影响，从技术的掌握到与其他修炼者建立良好关系。

自信的效果

在某件事上取得成功或者做得好并不是修炼者唯一可以获得自信的途径。修炼者还可以通过将努力和专注等价值观应用于训练中来获得自信。例如，练习后旋踢的修炼者可以从相对于过去自我的进步中获得自信。因此，师范必须与修炼者合作，使修炼者能够发现训练过程本身的意义，而不是只关注结果。师范的鼓励和表扬可以成为修炼者成长的重要基础，这就是为什么师范必须通过表扬和鼓励来培养修炼者的自信和自尊的原因。高自信可以带来以下几点：首先，自信导致积极的思想和情感；其次，它可提高专注程度；第三，它对实现目标有积极影响；第四，它是挑战和努力的基础。

影响自信的因素

自信是相信自己能做想做的事情。然而，这种信念是如何产生的呢？修炼者通过在跆拳道训练中的成就感、通过替代经验、言语劝导、身体成长、健康的心态和想象成功来获得自信。这些经历灌输了一个积极的期望，即自己可以做到。这种期望影响着行为和思想。修炼者对自己能力的大部分想法都来自过去的经验，但决定最终结果的是接受这些经验的方式。

一. 成就感

成就感是修炼者用以培养期望的最重要元素。面对具有挑战性的任务时，之前成功完成任务的修炼者会有更大的期望。例如，当修炼者要击破两块厚厚的松木板时，那些曾经成功完成此项任务的修炼者会比没有此经验的修炼者更有信心。因此，在跆拳道训练过程中积累大大小小的成就，是提升信心的关键。

二. 换位经验

仅仅通过了解另一个修炼者的想法或观察其行为, 修炼者就可以建立期望。这就是所谓的换位经验(模仿)。例如, 如果我们看到一个与我们水平相当的修炼者在我们认为困难的技术上取得成功, 我们就会产生一定的期望, 如 "我也可以做到" 或 "我也想成功"。师范是修炼者的关键榜样, 因此师范不能成为懒散学习的榜样。师范必须为视其为榜样的修炼者树立一个好榜样。

三. 言语劝导

师范的话语可以影响修炼者的期望。师范的鼓励和赞美会提高修炼者的期望。例如, 如果师范赞美一个练习跆拳道品势的修炼者姿势很棒, 修炼者会开始产生期望感, 认为自己可以进步。如果师范和修炼者建立了高度信任, 且师范具有专业知识, 劝导效果会加倍。师范的话语可能是无形的, 但其影响力非常大。

四. 身体和情绪状态

修炼者的身体和情绪状态与其信心密切相关。跆拳道是一项锻炼身体和心灵的运动。修炼者在长时间的训练中掌握跆拳道技术。通过这种练习, 修炼者的身体功能, 如体能和协调能力, 得到了提高。这样, 修炼者开始相信自己的身体, 产生更高的期望, 进而采取行动。心灵也是如此。在与对手的比赛中, 修炼者努力克服各种挑战、局限和焦虑, 之后能够按照自己的意愿执行技术。修炼者开始相信自己可以做到。这种期望感增加了修炼者的信心, 促进那些有助于其成功的行为。

五. 想象的经验

通过想象的力量, 修炼者可以为比赛或即将到来的事情做好准备。通过这种方式, 修炼者不仅提高自己的技术, 而且增强了对跆拳道训练的信念。修炼者能够想象在比赛中如何应对对手的攻击。通过心理上预演成功的表演或击破, 修炼者会相信自己可以做到。

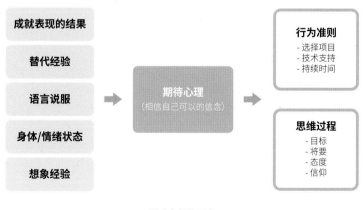

影响自信的因素

提高信心的自我交谈

- 积极的思考和自我交谈可用作自我暗示, 以增加信心并克服焦虑。
- 师范应教导修炼者通过制定和使用品德作为口号以及制定修炼者可以对自己说的自我肯定话语来进行积极思考。

(4) 注意力集中

在日常生活中, 我们周围同时发生着许多事情。跆拳道训练也是如此。在基本动作训练中, 各种因素同时作用, 如身体动作、师范的话语和其他修炼者的动作。修炼者必须集中注意力并将精力投入到正确的地方。在心理学中, 这被称为集中性注意力, 意味着具有在许多其他同时发生的事件和外部刺激中保持关注所需刺激的能力。修炼者必须注意并集中精力以有效地进行跆拳道训练。

应关注的焦点

要在许多其他外部刺激中关注一个刺激, 我们必须了解可控性的概念。一个事物是否可控是指它是否可以通过意愿或努力来改变。修炼者必须试图关注可以控制的事物, 因为关注无法控制的事物是浪费精力。例如, 在训练过程中突然想起的过去的错误, 便是将精力浪费在无法控制的因素上。过去的事件是无法控制的。当我们关注无法控制的事物, 如过去的事件, 我们无法集中精力在需要关注的事物上。

可控和不可控因素

可控因素	不可控因素
• 设定目标 • 想象成功 • 积极思考 • 提高体能、减肥、努力等	• 过去的错误 • 未来的结果 • 在实战中的对手 • 天气、训练环境、时间等

注意力类型

师范告诉无法专注于训练的修炼者: "请集中注意力"。然而, 注意力不仅仅是关于"集中"或"不集中"的问题。正确的说法是修炼者没有给予适当的关注, 而不是说无法集中注意力。只要我们醒着, 我们就会保持注意力, 所以这不是做或不做某事的问题, 而是关于我们如何以及以何种形式去做我们要做的事情。

注意力可以分为四种类型: 宽泛注意力、狭窄注意力、外向注意力和内向注意力。

一. 广泛注意力

广泛注意力使我们能够探索大量信息并同时关注多个事件。在需要快速转移注意力的环境中, 这一点尤为重要。例如,使用广泛注意力观察实战对手的整体动作,或者在接力比赛中避免与另一个人发生碰撞。

二. 狭窄注意力

当我们缩小注意力的范围时,我们专注于少量线索或单一信息。当线索较少或信息有限时,最好切换到狭窄注意力。例如,在进行品势中的侧踢时,修炼者只需要关注脚刀。在击破时,需使用狭窄注意力来准确击中目标。

三. 外向注意力

外向注意力是关注外部而非内部。也就是说,在外向注意力期间,我们关注的是外部事物,如他人、对手、击破目标和环境,而不是自己。

四. 内向注意力

与外向注意力不同,内向注意力是将焦点放在内在自我和内部因素上。内向注意力关注的对象包括思维、情绪、感觉、决策、神经、肌肉运动、气流和心率。例如,在品势中,修炼者必须专注于自己身体的运动。师范必须在训练期间教导修炼者了解注意力的重要性。师范需要教修炼者在掌握和使用技术时将注意力集中在何处。此外,还必须教修炼者了解各种特定情况以及相应的注意力策略,例如如何在下段格挡、实战或与其他修炼者一起进行品势时知道将注意力集中在何处。通过适当地运用注意力,修炼者可以达到高手的境界。

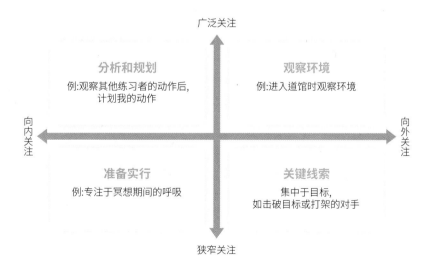

四种注意力类型

在品势、实战和示范中的注意力

- 在品势中, 修炼者可以通过呼吸或冥想等活动来关注内在自我。此时不需要关注大量信息, 而是应关注有关正在执行的动作的关键线索。因此, 我们在品势中使用狭窄注意力, 期间必须考虑起点和终点, 并以流畅的方式完成动作。
- 在实战中, 修炼者需研究和评估竞技场和对手, 然后制定策略。参加比赛时, 必须了解对手的动作并专注于自己的动作, 以便根据情况执行正确的动作。实战从广泛注意力开始转向狭窄注意力。
- 示范需要狭窄和外向的注意力, 因为修炼者在关注击破目标的同时, 必须了解示范的内容、环境和结构。然而, 在击破过程中, 必须将注意力转向内心以进行深呼吸。
- 修炼者在不同的时刻以各种形式表现出注意力。根据情况(品势、实战或示范), 师范必须迅速评估所需注意力的形式并指导修炼者。师范不应提供像"集中注意力"这样的普通口头反馈, 而应使用具体目标提供详细反馈, 例如"在进行踢垫训练时, 你必须专注于击中垫子。"

投入

为了将注意力集中在正确的地方, 修炼者必须达到一种投入状态, 这是一种完全沉浸在任务或动作中的状态, 可以屏蔽一切干扰。投入伴随着强烈的专注。沉浸其中的修炼者专注于需完成的动作, 对其他因素的关注明显减少, 这意味着只能将精力投入到需要做的事情上。此外, 在沉浸状态中, 行动与思维之间的界限消失。这被称为"自我与外部世界的统一"。一旦这个界限消失, 修炼者将有最佳表现。此时, 修炼者意识到时间的流逝, 觉得训练时间很短暂, 有时在实战过程中, 甚至可能看到对手的动作放慢。在投入状态下, 修炼者感觉完全控制自己的身体。例如, 在实战过程中全神贯注的修炼者会觉得可以按照自己的意愿移动。也就是说, 修炼者相信自己拥有完全的控制力。

3 — 跆拳道竞技心理

跆拳道竞技心理关注运动员的最佳表现和心理训练。它通常为运动员和指导者提供有关学习、反馈、动机、领导力、团队凝聚力和有效沟通等方面的有用信息。指导者必须了解运动员的学习、激励和互动的相关原理, 还必须了解竞技心理, 以帮助运动员提高运动表现。

(1) 焦虑

焦虑通常指紧张、担忧或恐惧等负面情绪状态。在跆拳道中, 焦虑是指修炼者在面对比赛或示范场合的压力时所经历的不适的心理状态。运动员所经历的焦虑程度取决于相关情景的重要性。如果比赛或某个时刻非常重要, 运动员的焦虑程度必然会上升。

焦虑的分析

通常, 焦虑的概念会被负面分析。然而, 就像压力一样, 焦虑的结果取决于运动员如何面对它。如果焦虑总是对运动员的表现产生障碍, 那么所有参加奥运会或国际比赛的运动员都会取得糟糕的成绩。因此, 重要的不是运动员感受到多少焦虑, 而是如何面对焦虑。

焦虑对运动表现的促进或干扰作用

- 如果我们从积极的角度看待焦虑, 则它有可能成为一个好的动机来源。优秀的运动员能够适当地控制自己的焦虑, 并利用它来提升自己的运动表现。
- 焦虑可好可坏, 具体看我们如何分析它。
- 在心理学中, 这被称为转换理论。运动员的表现成果可能会因其如何面对或分析焦虑而发生变化。

焦虑的负面分析	焦虑的积极分析
过高的心率让我感到不舒服。	多么令人兴奋! / 让我们享受这一刻!
观众席上太多人让我紧张。	这是向大家展示我实力的机会。
我的腿感觉麻木。	我的腿部肌肉紧张得恰到好处。

焦虑的类型

焦虑可以大致分为生理焦虑和认知焦虑。认知焦虑涉及失败的想法和其他消极想法, 如担忧、忧虑和恐惧。较高的认知焦虑使人难以客观看待自己, 从而可能降低自信心。生理焦虑是指身体在特定情况或比赛中对焦虑的反应。每个运动员的生理焦虑都不相同。通常的表现是心率加快、掌心出汗。在极端情况下, 我们的双腿可能会摇晃或僵硬。

认知焦虑和生理焦虑发生在不同的时间。面临重要比赛的运动员会开始担忧。这是认知焦虑而非生理焦虑。另一方面, 运动员在比赛即将开始前可能会经历生理焦虑。生理焦虑进展迅速, 非常强烈, 并在比赛开始前达到最高点。然而, 比赛开始后, 我们的生理焦虑会迅速降低。每个运动员的焦虑不同。如果运动员了解自己的认知焦虑和生理焦虑如何表现, 就可以从容应对焦虑。

身体焦虑
(心理与躯体焦虑)
身体状况, 如心跳加快、呼吸困难、出汗、手脚颤抖

认知焦虑
(心理焦虑)
消极心理, 如忧虑、恐惧、失败思想

焦虑的类型

认知/生理焦虑与运动表现之间的关系

认知焦虑和生理焦虑以不同的方式影响运动员的表现。该图说明了认知和生理焦虑与运动表现之间的关系。认知焦虑较低,如担忧、忧虑和消极思维,我们的表现就越好。另一方面,当我们的生理焦虑非常低或非常高时,它可能对我们的表现产生负面影响。适度的生理焦虑实际上可以提高表现。

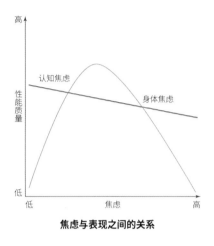

焦虑与表现之间的关系

(2) 意象

意象是指对可能发生或已经经历过的事物的心理图像。意象练习涉及在脑海中想象一种技术或比赛场景。意象的优势在于能够真正感知(看、听、感觉等)所设想的情境,并且无论时间、地点或受伤情况,都能进行练习。

意象的效果

跆拳道训练和意象密切相关。修炼者在训练前通过冥想想象当天训练内容就是一个关键例子。更重要的是,想象结合实际技术练习比仅仅用身体练习更有效。也就是说,意象可以在跆拳道训练中得到全过程利用。使用意象涉及在执行技术之前在脑海中想象技术,并练习何时何处集中注意力。在学习新技术或为品势、实战、击破和示范制定策略时,意象会很有帮助。通过意象,我们可以提高自信心和控制焦虑。在因受伤无法进行身体锻炼的情况下,意象也可用于促进康复。

> **意象训练是否比实际训练更有效?**
>
> • 毫无疑问,意象训练有助于技术掌握和提高表现。
> • 研究发现,肌肉和神经对实际的身体运动和想象的运动反应相同。
> • 然而,意象训练并不比实际训练更有效。
> • 最好的方法是将实际训练与意象训练结合起来。

意象的原则

心理神经肌肉理论是科学解释意象效果的关键理论。该理论的主要观点是,用于运动的神经和肌肉与用于产生意象的神经和肌肉一致。例如,当运动员进行一个横踢时,其大脑和身体中的一些神经会被激活。当运动员仅仅想象执行一个横踢的过程时,同样的一组神经和肌肉被激活。如果我们在实际执行技术时激活的神经和肌肉与想象技术时激活的神经和肌肉相同, 那么运动员应该能够仅通过想象来体验动作过程。

从神经科学的角度来看, 我们在使用意象时欺骗了大脑。例如, 接受来自意象产生的关于横踢信息的大脑无法判断这是真实的还是想象的踢腿。即使信息是想象的, 大脑也会将横踢视为真实的, 并相应地向神经和肌肉发送信号。为了更好地欺骗大脑, 意象必须等同于现实。在使用意象时, 人们必须尽量调动五感(味觉、触觉、嗅觉、视觉、听觉)。

意象的类型

意象可以分为内部意象和外部意象。外部意象就像从第三人称视角观看自己被拍摄或参加比赛一样。内部意象涉及想象自己进行锻炼或参加比赛, 即第一人称视角。通常, 与外部意象相比, 内部意象时肌肉和神经更加活跃。与外部意象相比, 我们在内部意象中更能感受到实际的运动。然而, 使用哪种意象并不重要。重要的是我们能够用五感清晰地想象并自由控制图像。

内部图像
(第一人称视角)

外部图像
(第三人称视角)

想象自己在一场比赛中　　　　　　　　　通过相机在比赛中想象自己

两种类型的意象

有效意象使用策略的原则

为了创建有效的意象, 除了利用所有五感之外, 我们还必须满足一些条件。在创建意象时, 应根据需要在第三人称和第一人称视角之间交替。在进行踢腿时, 感受身体肌肉的激活, 同时清晰地想象周围环境, 例如比赛场地。接着, 想想自己必须执行的任务, 并同时想象实际的表现。我们还必须想象在执行这个技术时所感受到的紧张感、心率和一些想法。随着运动员通过训练提高技术, 还必须对意象内容作相应的调整。

看
生动的色彩
护具/竞技场颜色

周围的气味
汗味/竞技场的味
闻

周围的声音
发声/喊叫/欢呼等
听

身体触觉或感觉
踢击护具时脚背
的感受
在竞技场的垫子上   触碰

食物或水的味道
饮料的味道/
疲惫时嘴里的味道
尝

五感与意象示例

(3) 重塑认知

重塑认知是一种心理策略, 用于有意识地改变一个人的认知(思维)或感知过程。一般来说, 这是用来将消极的想法转变为积极的想法, 进而以积极的想法帮助运动员改善表现。例如, 参加品势比赛的运动员可能在比赛开始前就有消极的想法, 担心自己可能犯错, 而这对其运动表现毫无帮助。通过重塑认知, 运动员可以将对错误的担忧转化为积极的方向。

重塑认知策略

重塑认知包括四个阶段: 觉悟、停止、反驳和替换。

一. 觉悟

运动员通过识别自己的思维内容开始重塑认知过程。实战或品势运动员以及那些准备示范的人在比赛前都会有很高的焦虑水平, 包括担忧、关切和消极想法等认知焦虑。运动员应该专注于自我意识, 并试图注意到在执行前自己正在思考什么。

二. 停止

在意识到自己有消极情绪或想法后, 接下来重要的是设法停止这些想法。如果不去关注这些消极情绪或想法, 它们会在你内心扎根, 导致出现最坏的情况。我们必须努力阻止这个恶性循环。我们可以通过身体动作有效地阻止消极思维的流动。例如, 一个发现消极想法的实战运动员可以通过轻拍自己的胸垫来消除这个想法。

三. 反驳

质疑是认知重塑策略的关键。在识别并停止消极思维后,你必须用逻辑来质疑它们。问问自己为什么会想到消极的事情,这些想法是在帮助你还是阻碍你,以及你现在应该关注什么。例如,一个害怕犯错的运动员可以告诉自己:"比赛还没有开始,所以担心和考虑还没有发生的错误只是在浪费精力。"

反驳消极想法的三个标准问题

- 首先,你所考虑的事情是否可控?
  快速评估当前问题是否可以通过你的努力或意志来解决。
- 其次,这个想法是否合理?
  从当时的情况出发,符合逻辑地思考你现在的想法是否会有助于你的运动表现。
- 第三,这个想法是否积极?
  消极的想法或怀疑对运动表现没有帮助。评估你的想法是否积极。

四. 替换

我们的大脑不喜欢没有思考的状态。当你有意识地停止消极情绪和想法时,你的大脑会试图用其他东西填补空白。所以,我们必须用积极的情绪和想法填充它。告诉自己诸如"我可以做到"或"让我们开始吧"的话语,通常会增加信心并产生积极的想法。

认知重塑训练的步骤必须按照正确的顺序进行: 觉悟、停止、反驳和替换。当修炼者熟悉认知重塑策略中提出的语义示例,并将它们应用于自己的训练和比赛时,就可以缩小训练与比赛之间的心理差距。通过这种方式,修炼者可以更接近自己最佳的表现。

认知重塑策略

因素	重要性	示例
觉悟	注意到自己的消极想法。	"我觉得我会输掉这场比赛。" "我一直在想那次输掉的比赛。"
停止	停止消极想法。	使用技巧(拍手、摇头) 告诉自己"停!"
反驳	理性地质疑消极想法。	"我怎么知道结果会怎样?" "我为此努力训练了!"
替换	用积极的想法替换。	"是的,我可以做到!让我们关注自己!" "我做到了!"

消极想法会变成习惯吗?

• 我们不可能完全摆脱消极想法。如果我们接受会有消极想法, 我们可以找到更好的方法将它们转变为积极想法。

• 我们不能对消极想法掉以轻心, 因为消极想法会导致更多的消极想法。消极想法悄无声息地出现。如果这个过程持续下去, 消极思维可能变成一种习惯。

• 然而, 如果我们通过重塑认知来控制消极想法, 我们可以期待积极的结果。也就是说, 重塑认知可以帮助我们利用自己的弱点并将其转化为优势。

5

跆拳道指导与人性

1 跆拳道的基本

1 — 道服

道服是修炼跆拳道时穿的服装。道服的外观和颜色可能因跆拳道的哲学意义和修炼目的而有所不同。一套道服由白色布料制成, 包括上衣、裤子和道带。道服的哲学基础建立在阴阳原则以及天、地、人的三太极(代表天地人混为一体的混沌状态)之上。上衣象征天空(阳), 裤子象征大地(阴), 道带象征连接天地的人类。

道服的区别在于上衣领子的颜色, 这取决于修炼者的水平。有级者穿白领子道服, 有品者穿红黑领子道服, 有段者穿黑领子道服。道服的外观也随着时间的推移而发生了变化。在1970年之前, 道服的穿着方式类似于韩国传统服装韩服, 像是一件长袍或夹克; 然而, 自1978年以来, 道服的穿着方式变成了像T恤一样从头上穿过去。随后, 道服的外观和颜色根据修炼目的和比赛特点而发生变化, 如实战道服和品势道服。

当然, 跆拳道精神也体现在道服及其穿着规范上。首先, 将国旗放在指定位置。其次, 始终保持道服清洁。第三, 穿道服去跆拳道道馆。第四, 穿道服时始终佩戴道带。第五, 在修炼过程中不要佩戴不必要的饰品(手表、项链、耳环、戒指等)。

类似长袍的制服　　　　　　　　类似T恤的制服

2 — 道带

道带连接道服的上下部分, 系在腰间。它可以收紧那些产生力量的肌肉。道带可表明修炼目标、技术水平、修炼周期、跆拳道知识水平和修炼水平。

道带的不同颜色表示跆拳道修炼的水平。根据级别, 道带分为初级修炼者、有品者和黑带持有者道带。道带颜色的变化表明修炼者的身心逐渐达到和谐, 并能进行自我控制。因此, 道带象征着修炼水平。

　白道带象征着诞生、开始和初现生机。黑道带象征着在能控制身心的基础上迎来新的开始。修炼者们通过修炼争取达到最高水平。而要达到最高水平, 需要毕生的努力。修炼者应将跆拳道视为生活的一部分并坚持修炼。长期学习跆拳道并领悟其价值, 就意味着会最终认识到生活的价值与跆拳道的价值殊途同归。换句话说, 跆拳道修炼者经过一段时间的修炼, 就会自然地将跆拳道的价值转化为对待生活的态度上。

　道带有五种颜色。初学者的道带是白色的, 初级修炼者的道带是黄色、蓝色和红色的, 黑道带则授予段位持有者。自20世纪70年代以来, 国技院为儿童和青少年修炼者改变了段位制度, 给这些修炼者授予品位道带, 而不是黑道带。道带的制度和使用五种颜色的配置如下图所示。

| 白色 | 黄色 | 蓝色 | 红色 | 黑红 | 黑色 |

使用五方色的道带示例

　传统上, 跆拳道的道带使用五种韩国传统色彩, 即五方色。然而, 在20世纪70年代, 一线师范们为每个级别使用半色调彩带, 以激励和启发修炼者进行修炼。半色调颜色包括绿色、粉色、深蓝色、紫色和浅棕色。五种传统色彩和五种半色调色彩, 五方色和五间色之间的关系如下图所示。

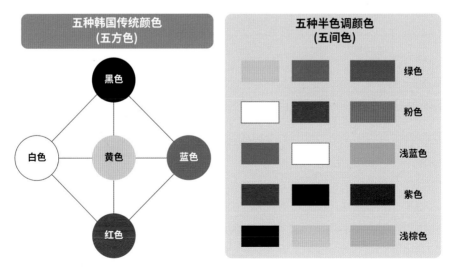

五方色和五间色

(1) 跆拳道道带的含义

- 跆拳道道带表示跆拳道修炼者的技术水平和修炼周期。
- 随着修炼水平的提高, 每个道带的颜色亮度和彩度逐渐发生变化, 这与宣纸上的上色过程类似。
- 道带代表了修炼者成长和发展的阶段。

白色道带

- 白色是一种无色彩的颜色, 象征着一张白纸。它代表了初学者在尚未掌握任何基本技巧时开始学习基本动作的阶段。

黄色道带

- 黄色是从土壤中发芽的嫩芽的颜色。它代表初级修炼者, 表示已经掌握了一些基本技术。

蓝色道带

- 蓝色象征着希望的时期, 如青少年期。它代表了基本技术在一定程度上得到提高的阶段。

红色道带

- 红色象征着激情。这是基本功掌握和修炼者成熟的时期。它代表了跆拳道动作成熟的阶段。

黑色道带

- 黑色象征着光的起源和终点。它是代表奢华、精致、权威和尊严的颜色。从初段到九段都是黑色道带, 代表需要应用修炼成果, 并培养心灵以追求自我实现。因此, 黑色道带代表了掌握跆拳道所有基本功的阶段, 或者是培养高级动作或动作改良的另一个阶段的开始。

(2) 如何系道带

①抓住道带的中心,将其放在肚脐附近。

②用道带包裹腰部,将两端带到前面。

③在检查腰部的道带没有扭曲之后,将右端放在左端之上。

④把上面的这一端穿过下层道带,拉出来。

⑤确认结紧且舒适后,将下面的道带弯成一个圆圈。

⑥将顶端向下放。

⑦将上面弯曲的末端从圆圈中穿过。

⑧将两端紧紧地拉向两侧,完成打结。

※ 从修炼者的角度来看,道带上的左右两侧分别是修炼者的名字和所属单位。

※ 为了避免在腰背部扭曲,还有另一种方法可以在将右侧绕两圈后从④开始系道带。

3 — 礼节

通常,礼节包括"你好"、"再见"或"谢谢"等用语。然而,在跆拳道中,修炼者不仅通过语言还通过身体动作来表达礼节。跆拳道的礼节是向他人表示尊敬的一种方式。它们也是跆拳道道馆内必须遵循的规则的一部分。相互礼节是跆拳道礼仪,表示"良好关系的开始"。

跆拳道修炼者在进入和离开跆拳道道馆、开始和结束修炼以及与师范见面和分别时都需互相问候。例如,当修炼者进入跆拳道道馆时,需通过礼节或致敬来向国旗或道馆表示敬意。礼节的对象不仅包括师范,还包括其他修炼者。所有修炼者通过礼节创造出一个相互尊重的氛围。礼节是跆拳道礼仪的一部分,也是培养跆拳道人性的第一步。

正确的礼节方式如下。首先,保持立正的姿势。抬起头,背部挺直且放松。其次,双脚并拢站立。第三,将双手笔直放在身体两侧。第四,弯腰向前,头部向下约45度,进行鞠躬问候。第五,礼貌地鞠躬致意。

(1) 需要礼节的时候

① 进入或离开跆拳道道馆时

② 与师范或修炼者开始和结束练习时

③ 与对手开始和结束比赛时

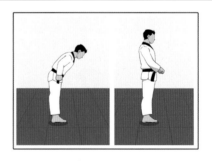

④ 开始和结束品势时

4 — 呼吸

呼吸是连接身体和心灵的通道。如果修炼者有意识地呼吸, 就可以利用这个流动。有意识地呼吸不管快慢, 都需要将注意力集中于呼吸。修炼者在击打、放松、专注以及发挥瞬间力量时需有意识地呼吸。

呼吸不仅让修炼者感受到身体的微妙感觉, 还有助于控制心灵。有意识的呼吸既用于跆拳道练习等动态情境, 也用于冥想等静态情境。建议修炼者在每次运动前后进行冥想。冥想有多种目的。首先, 冥想是与呼吸一起进行的。在冥想时集中注意力于呼吸的气流可以使心灵平静。其次, 冥想有助于学会正确呼吸。正确的呼吸在执行技术时增加力量, 有助于力量的有效运用。第三, 冥想通过呼吸帮助保持镇定。

呼吸在修炼过程中也非常重要。在真实比赛之前, 修炼者往往会喘不过气来。在比赛中被对手击中时, 就会失去镇定, 这会导致呼吸变得不规律。如果修炼者在执行品势时失去节奏, 就会分心并开始加快呼吸。呼吸急促, 修炼者会变得急躁且容易疲惫。因此, 修炼者需要不断练习呼吸, 为实战或危机做好准备。然而, 这可能并不容易。一旦修炼者喘不过气来, 很难重新控制呼吸。出于这个原因, 修炼者必须学会有意识地控制自己的呼吸。呼吸对人类生命至关重要。在跆拳道中, 健康且受控的呼吸在练习过程中有多种用途。首先, 它可以缓解紧张。其次, 它有助于集中能量进行技术练习。第三, 它有助于控制身体的力量和速度。第四, 它可以增加肺活量。第五, 它可以用于展示技术。

(1) 在品势修炼中运用呼吸

在品势的缓慢动作中, 呼吸应尽可能地细长, 并且要有意识地呼吸。当呼吸与意识结合在一起时, 可以达到最高的注意力集中水平。专注是能量的基础。在品势的快速动作中, 应做到慢吸快呼。动作结束的同时呼气。

节奏原则适用于品势练习。要一气呵成地完成一项技术动作, 需要很好地连接慢速和快速移动。呼吸也应与这些动作的节奏保持一致。准备动作较慢, 主要动作较快。因此, 在准备动作中, 修炼者需要慢慢呼吸, 将大量空气吸入肺部。在主要动作中, 修炼者需迅速呼气, 并在动作结束时屏住呼吸。呼吸的开始和结束应清楚可辨。例如, 由于呼吸从鼻子开始并在肚脐处结束, 修炼者必须意识到鼻子和肚脐的位置。

初学者在品势过程中, 就注意向上运动时应吸气, 向下运动时应呼气(例如, 准备姿势)。吸气时进行收缩动作, 呼气时进行伸展动作(例如, 冲拳)。这样可以在品势中实现流畅地连接动作与呼吸。

5 —— 发声

马步和冲拳发声(发声)

发声是跆拳道技术中非常重要的一部分。正确使用发声可以瞬间表现出爆发力和有效展示技术。发声通过将呼吸的内部生理作用与声音的外部生理作用结合在一起,产生巨大的能量和协同作用。自信的发声对制服对手至关重要。通过在心理上逼迫对手,可以打破对手的气势。发声还有助于掌握进攻和防守的时机。发声有两种类型:一种是单独发声("啊!"),另一种是由多人一起发声("双手聚力","跆拳道!")。

发声有多种目的。首先,发声可以表达信心(比赛前)。其次,发声用于集中注意力(忍耐艰苦的修炼中)。第三,发声用于在表演技巧前聚集能量(示范)。第四,发声可以缓解紧张(竞技和实战)。第五,发声用作准备面对对手的信号(单次实战和配合实战)。第六,发声可以在踢腿击破或实战时踢腿的瞬间加强身体(关节和肌肉)。当一个人在丹田部用力并发声时,关节和肌肉从腹部开始变得坚实。这被称为身体的强化。第七,当两个或更多的修炼者一起练习时,发声用于加强同伴,以克服艰难的过程(辅助者发声)。

2 跆拳道指导与跆拳道指导者

1 — 跆拳道指导的意义

指导是教育和引导走向某个目标的沟通过程。跆拳道的指导并不仅仅意味着教授身体技术。这是因为如今跆拳道修炼的方向和宗旨不仅限于掌握技术。因此，跆拳道的教学旨在通过跆拳道修炼提高体力和健康水平，培养正确的心态和精神。特别需要注意的是，跆拳道教学强调武术方面的自我实现和通过身心修炼来发展人性的方面。

跆拳道教学是一种互动活动，通过唤醒修炼者的潜能，而非单向的教育，帮助修炼者实现自我实现。修炼者可以通过调整身心，达到专注的状态，以更好地促进自我成长。换句话说，修炼者在享受学习和掌握跆拳道的过程中，可以获得各种价值。

跆拳道修炼者需要严格的自我控制、相互尊重、关爱和宽容。跆拳道教学呼应时代需求，旨在增强相关的能力和知识，以促进个体的健康水平及公民意识。健康的跆拳道修炼者努力拥有坚强的意志，勇于实践，并不断反省自己。这使修炼者能以积极的眼光看待世界，用严格的道德标准约束自己，并对他人宽容以待。修炼者通过自己的举止获得周围人的认可和尊重。

2 — 跆拳道指导的目标

跆拳道指导有认知、身体和心理方面的目标。认知目标是理解跆拳道动作、技术、历史、原则等。身体目标是提高身体能力和耐力。心理目标是通过跆拳道修炼促进社会、情感和人性的发展。这三个目标引向一个共同的目标：通过跆拳道修炼增加满意度，创造一个重视道德和伦理世界。因此，跆拳道教学应当系统地规划和实施，以统筹考虑这三个修炼目标。当这些修炼目标达到时，修炼者可以实现知识与行动的统一。

(1) 认知目标

跆拳道教学的认知目标包括理解跆拳道的历史，了解其技术和原则，以及理解实践的价值。跆拳道指导指在发展发展如品势、实战和示范等技术的同时，提高智力能力。换句话说，认知目标是通过修炼促进大脑活动，提高学习能力。这些认知目标是有效实现身体和心理目标的基础。

(2) 身体目标

从根本上讲, 跆拳道修炼旨在学会如何使用身体。为了有效学习, 与认知目标相互作用至关重要。换句话说, 通过认知目标了解身体的有效运动、使用、修炼目的、使用部位和练习方法, 在实际身体练习中会有所帮助。修炼者通过这样的身体练习过程来练就健康的身体。因此, 跆拳道修炼的身体目标不仅是改善健康, 还要有效地提高基本体力和运动神经发展等身体功能。

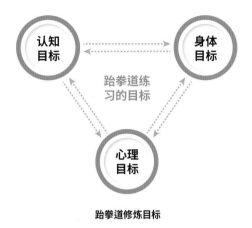

跆拳道修炼目标

(3) 心理目标

心理发展是指个人成长和内心变化。换句话说, 跆拳道修炼的心理目标包括教导修炼者通过跆拳道成长并转变为理想的人。由于这些目标并非仅通过修炼跆拳道就能实现, 因此必须有意识地计划和教授才能实现。如今, 跆拳道教学的心理目标变得相对更加重要。通过跆拳道修炼中的认知目标(了解)和行动目标(身体)的互动, 可以实现心理目标。

3 — 跆拳道指导者的资质

"跆拳道指导者"是一个综合性术语, 既指在跆拳道道馆教导修炼者的师范, 也指为了比赛和竞赛而教授跆拳道的教练。作为引导跆拳道修炼者和运动员(以下统称为"修炼者")的指导者, 指导者应扮演助力的角色, 帮助所有修炼者获得有价值的经验。跆拳道指导者应通过对身体和心灵的持续修炼以及自我发展, 积极发挥示范作用。此外, 指导者必须具备适当的教学理念或态度, 以培养出健康快乐的跆拳道修炼者。

在跆拳道中, 考虑到心理目标的重要性, 指导者的影响力要大于其他任何运动中指导者的作用。为了实现心理目标, 指导者应积极发挥示范作用, 做到全身心投入。因此, 跆拳道指导者应精通跆拳道。在有效指导下, 指导者应能引导修炼者产生理想的性格变化。指导者还需要具备将一定时期的跆拳道亲身经验传授给修炼者的能力。然而, 并非所有跆拳道指导者都必须具备国家级别的实践技术, 或赢得各种跆拳道比赛。关于实践经验的要求, 重点旨在确保指导者了解跆拳道的技术结构和整体技术体系。此外, 指导者还应能在理论上理解跆拳道的历史和哲学意义、社会和心理价值以及有效实践, 并将其应用于对修炼者的教学。

跆拳道"师范"一词的词源

- "师范"这个词源于"学为人师, 行为世范(学习应成为教导他人的导师, 行为应成为世界的典范)。"
- 这意味着"学习是为了教导他人, 行为是为了树立世界的榜样。"
- 因此, 师范是通过不断的自我发展为他人树立榜样, 并鼓励修炼者效仿自己的领导者。

过去, 跆拳道指导者被视为是根据跆拳道的实践经验和科学知识进行教学的人。换句话说, 指导者被认为是根据自己的理论知识指导初级修炼者的长期跆拳道修炼者。然而, 随着体育教学中的反思方法得到重视, 体育教育更多被视为一种技术性和规范性的活动, 这种看法近年来发生了变化。这表明, 跆拳道教学的认识应从教育转向培养跆拳道修炼者, 从科学教学转向反思性教学。

跆拳道指导者基于自己丰富的实践经验, 应能科学地理解跆拳道。指导者还需要具备重构自己的跆拳道经验和科学知识的能力, 以便根据修炼者的需求和动机水平进行教学。此外, 跆拳道指导者不仅要科学地了解跆拳道技术, 还要不断反思自己的教学活动, 努力成为自我成长的指导者。同时, 指导者必须有能力反思自己的教学过程, 并将从中获得的知识应用于实践。跆拳道指导者的资质构成了成功履行领导角色的基础。跆拳道指导者所具备的资质不仅对所属团队的人性和态度产生重大影响, 而且对修炼目标产生重大影响。首先, 指导者必须了解跆拳道的本质, 并不断努力发展所需的专业技术。尽管跆拳道指导者的资格可能会因时代的需求和社会期望而略有不同, 但以下是跆拳道指导者必须具备的核心资质。

(1) 理解跆拳道本质的指导者

首先, 跆拳道指导者必须理解跆拳道是一种起源于武术的运动, 目的在于击败对手。武术是源于战斗技巧或格斗技术的东方式动作, 而体育运动则是源于体育竞技的西方式动作。然而, 在历史的发展过程中, 跆拳道作为一种原本用于战斗的武术, 创造性地融合了体育运动的特点, 发展成为一种独特的韩国武术和体育运动。

与其他东方武术和西方体育运动不同, 跆拳道的动作主要侧重于脚技, 以表现人类可以展示的最佳身体能力。

随着文明的发展和第四次工业革命, 现代人已经习惯了舒适的久坐生活。因此, 由于缺乏锻炼, 现代人易患各种现代文明病, 如糖尿病、动脉硬化、肥胖、抑郁和压力。在这种情况下, 原本用于护身的跆拳道已经转变成了一种促进心理和身体健康的手段。

因为跆拳道所追求的精神价值有利于青少年教育, 跆拳道还被用作一种教育工具, 以培养理想的人性特质和有益社会的人。从这个角度来看, 跆拳道是一种旨在培养健康人性的武术。跆拳道是一种韩国武术和体育运动, 可以内化若干个人价值, 如礼仪、忍耐和自信, 用于培养社交技术如关爱、合作和领导力, 并培育对国家和所有人的责任感和正义感等价值观。

(2) 拓展价值的指导者

跆拳道指导者立明确的自我理念, 拓展其认为重要的价值。指导者可以通过跆拳道修炼来促进各种价值。修炼者通过跆拳道修炼可以获得身体、认知、心理和社交方面的价值。在这些价值中, 跆拳道师范的哲学和信仰无疑会影响价值的重要性排序。有指导者可能认为掌握跆拳道技术是最重要的任务, 而另一些人可能认为通过跆拳道修炼培养有益社会的行为更为重要。指导者价值取向最终决定了跆拳道道馆的特性, 因此指导者必须正确设定自己的价值取向。

跆拳道所追求的价值极大地影响了基于以下信仰体系的跆拳道教育目标、内容和方法的选择:"修炼者需要学习什么重要的东西(跆拳道教育的重要性)"、"社会需要怎样的理想人格(跆拳道将培养的人格形象)"以及"什么是适合修炼者水平和兴趣的内容(根据修炼者特点量身定制的教育)"。如果指导者和修炼者都追求相同的价值, 后者将会对修炼的目的产生共鸣, 并认真完成修炼过程。然而, 如果追求的价值不匹配, 指导者和修炼者之间必然会产生冲突和不满。跆拳道指导者至少要对以下四个价值有明确的信仰, 并不断发展自己的信仰。

追求技术精湛

追求技术精湛是跆拳道教学最传统的价值, 强调掌握跆拳道技巧和获取理论知识。追求技术精湛的人认为掌握跆拳道技术是最重要的价值。这些人还认为将跆拳道技术及其文化遗产代代相传非常重要。这些指导者能准确展示和解释跆拳道基本动作、品势和实战, 并为修炼者提供练习机会。在修炼者修炼的过程中, 这些指导者会提供具体反馈并改进动作。最后, 这些指导者会制定有效的标准来评估修炼成果, 并将其用作教学辅助工具。

追求自我实现

在追求自我实现的过程中, 跆拳道指导者最重视修炼者的需求和兴趣。这些指导者专注于帮助修炼者感受挑战, 克服自身局限, 扩大自我。这些指导者以修炼者为中心, 特别强调修炼者的个人成长和自主性。为实现这些目标, 采用的教学策略包括鼓励学生主动设定目标、与其他修炼者进行挑战或提供解决特定问题的机会。

追求社会责任

追求社会责任的指导者关注培养积极的人际交往和社会行为技术, 以便在各种情况下做到有效应对。例如, 这些指导者会让多个修炼者一起交流并解决修炼任务。修炼者在执行联合任务时, 可学会如何合作并履行自己的职责。通过这样的教学, 修炼者学会认识到公平、平等和正义等概念, 并逐步具备负责任决策的能力。

追求学习

在追求学习的过程中, 指导者关心的不仅是"学什么", 还有"怎么学"。这样的指导者认为, 理论在不断发展, 不可能教授所有的技术和知识。因此, 这些指导者的目标是教授发展和掌握技术及知识的原则。换句话说, 这些指导者会设计练习任务以回答"如何"和"为什么"的问题, 创造一个修炼者可以自由挑战给定练习任务的练习环境。追求学习的指导者同追求技术精湛的指导者一样, 坚信掌握跑拳道核心技术的重要性。

此外, 这些指导者认为有必要学会如何做出合理决策并解决与跑拳道技术获取相关的问题。换句话说, 这些指导者不希望修炼者满足于准确地执行横踢的程度, 而希望修炼者能够在实战中用所学的横踢得分。

四种价值取向与特点

价值取向	特点
追求技术精湛	• 关注跑拳道技术和理论知识的获取。 • 指导者就跑拳道技术和理论提供具体反馈。
追求自我实现	• 关注修炼者的需求和兴趣。 • 指导者采用以修炼者为中心的方法, 关注修炼者的成长和发展。
追求社会责任	• 关注积极人际关系或社交技术的发展。 • 指导者通过共同任务让修炼者体会个人责任的重要性。
追求学习	• 关注修炼者如何学习。 • 指导者强调技术和知识的过程和原则而非结果。

(3) 具有专业技术的指导者

跑拳道指导者应该能够促进修炼者的认知和心理发展以及技术掌握。为此, 跑拳道指导者必须具备充足的跑拳道理论和实践知识。此外, 具有专业技术的跑拳道指导者应该在不断发展自己的同时, 具备平衡地教授技术和理论的能力。在理论知识方面, 指导者必须探讨文化、自然和社会科学, 以引导跑拳道精神价值的均衡发展。

具有代表性的文化科学知识包括指导者的价值观和哲学。指导者应该基于清晰的价值观和哲学为修炼者提供适当的方向。因此, 指导者应该能够为每个修炼者设定合适的具体目标, 并培养社会所需的能力, 如情绪控制、沟通和合作精神。

此外, 指导者必须能够运用各种教学方法。随着时代的变化, 越来越多的消费者对满足需求的教育方法有所要求。指导者需要综合考虑修炼者的跑拳道技术和兴趣, 并为跑拳道练习提供合适的场所做出多方面的努力, 如安排和利用工具和设施。师范不仅要熟悉传统的教学方法, 还要熟悉间接教学方法, 让修炼者积极参与, 而跑拳道指导者负责给予支持。

(4) 奉献型指导者

多年来, 指导者的领导力在诸多方面发生了变化。过去, 指导者倾向于展示作为教师的尊严和权威。然而, 在现代, 人们心目中的指导者形象是具有领导能力和愿意做出牺牲的人, 而不是左右修炼者行为的指导者。这是近年来反思跆拳道修炼的需求和期望而得出的结果。修炼者不满足于师范只是教授技术, 而是希望师范能够成为值得尊敬的老师。因此, 指导者需要具有影响修炼者的尊重型领导力。领导力可以通过师范的持续努力和重视来发展。

什么是尊重型领导力?

- 尊重型领导力是一种指导者与成员沟通并带头实现团队目标的领导力。
- 展示尊重型领导力的指导者关注并尊重成员的故事。指导者充当音乐指挥, 让成员能够充分发挥自己的个人能力。
- 当指导者提供鼓励和支持, 而不是干预和压抑时, 团队成员会更加努力工作。因此, 尊重型领导力给予成员将想法付诸实践的勇气, 并提供承担具有挑战性任务的机会。这将通过在成员之间形成深厚的信任关系, 带来强大的竞争力。

(5) 不断自我开发的指导者

理想的指导者会不断学习和开发自己。为此, 指导者必须不时回顾自己的教学大纲并反思自己作为跆拳道专家的经验。此外, 为了成长, 指导者必须愿意参加各种再教育课程和研讨会, 并与其他指导者交流信息。无论指导者有多好, 仅依靠自己的经验指导参与者总会存在一定的局限性。在快速变化的社会中, 跆拳道修炼者的需求也在相应地发生变化。跆拳道指导者必须多与修炼者亲近, 以了解到新的信息。

(6) 促进修炼者健康的指导者

指导者不应只满足于提供跆拳道教育, 还应促进修炼者的身心健康。为了帮助修炼者健康成长, 应根据修炼者的发展水平来教授跆拳道。忽视发展水平可能会导致跆拳道兴趣减退和受伤率上升等不良后果。特别是, 有必要了解修炼者的身体活动和体能水平, 以提供有益其健康的教学。

尤其是年轻修炼者的跆拳道修炼经历可以在成年后形成持续的健康管理习惯, 但这需要指导者的努力。换句话说, 应该提供旨在培养习惯的教育, 使修炼者不仅在跆拳道道馆内, 而且在道馆外的生活空间也能参与体育活动。为了养成锻炼习惯, 有必要激发修炼者的内在动机, 引导其主动进行锻炼。指导者应该持续关注修炼者, 以帮助其在道馆内外养成参与体育活动的习惯, 从而过上健康快乐的生活。

3　跆拳道修炼者的理解

要衡量跆拳道教育的成效, 关键在于看修炼者是否真正发生了改变。跆拳道教育的效果受多种因素影响, 其中最关键的一点就是对修炼者的了解。跆拳道修炼者的身体状况、运动能力、功能特征以及心理背景各异, 这些因素会直接或间接影响其跆拳道修炼。此外, 修炼者的修炼目标、动机、兴趣和抱负也会因年龄、性别、理解力、创新能力、表达能力、家庭经济状况以及体育技术或体力状况的不同而有所差异。因此, 跆拳道指导者需要了解修炼者的个性特征, 并根据这些特征调整自己的教学方式。

1 — 儿童期(4-7岁)

因为家庭中的养育氛围非常重要, 所以对处于幼儿期的修炼者来说, 父母的态度至关重要。父母和孩子共同进行的各种活动会影响后者的身体、认知和情感发育。因此, 指导者不仅要通过与修炼者的交流来了解修炼者, 还要与其父母进行沟通。

在幼儿期, 孩子需要有学习基本(如走、跑、扔等)运动以及复杂运动的机会。如果在这个时期没有足够的进步, 身体发育可能受到限制, 从而导致无法融入同龄人群体。因此, 应教导幼儿期的修炼者通过在跆拳道道馆的练习来促进身体协调能力的适当发育。

(1) 身体发育

不能仅仅通过身高和体重来判断儿童的健康状况。尽管婴儿的特点是头大圆胖、腹部凸起、四肢短小, 但进入幼儿期后, 身体比例会发生变化, 下半身变得更长更瘦。随着身体的变化, 身体重心从头部转移到脐部以下, 其运动技术也在发展。在这个时期, 尽管孩子对玩固定物体感兴趣, 但会逐渐开始更喜欢跳跃或攀爬等积极运动。

(2) 社交能力发展

幼儿期的修炼者喜欢集体活动, 因此可以参与相对较长时间的练习。在这个年龄段, 一个小组可由3到4人组成, 规则应简单且非竞争性。幼儿会经常与同龄人争吵, 但也会很快和好。幼儿会通过言行为自己的行为设定标准同时施加影响力。此外, 在这个时期, 修炼者会寻求摆脱对成人的依赖, 并出于好奇心尝试模仿成人。

(3) 情感发育

与婴儿相比, 幼儿会出现更复杂的情感。修炼者容易受到情绪波动的影响, 并对成人情绪变化敏感。然而, 随着情感持久度的逐渐增加, 剧烈的情感反应会趋于减少。同时, 强烈的欲望导向心理以及哭闹的频率也会减少。

(4) 认知发育

在幼儿期, 感知逐渐发展; 对距离和视角宽度的理解以及空间感知的概念得以发展。培养了冒险的态度——孩子们开始想去新地方, 提出很多问题, 对虚构世界产生兴趣。幼儿已能够区分过去、现在和未来。

幼儿期修炼者的教学

- 为帮助幼儿期的修炼者建立社会关系, 应提供与同龄人互动的机会。
- 指导者应帮助孩子们建立良好的友谊, 因为孩子们可从同伴那里学到很多东西。
- 对于幼儿期的修炼者, 促进成长和发育的好方法是身体运动练习, 此时重点不宜放在跆拳道技术习得上。孩子们通过向左、右、前、后转身来学习方向, 并通过重复简单的品势动作来发展身体协调技术。
- 对于幼儿期的修炼者, 重点应放在通过踢腿和运动练习等活动来提升技术, 而不是直奔跆拳道修炼的身心准备。
- 此时需要激发对跆拳道运动练习的兴趣, 并营造一个适宜幼儿期的修炼者与同龄人一起练习的氛围。

2 — 幼少年期(8-13岁)

儿童期是指8至13岁之间的阶段, 孩子在这个阶段的发育水平有很大差异。因此, 身体、社交和情感发育在儿童期会表现出巨大差别。所以, 对于儿童期的修炼者, 指导者必须综合考虑其特点和发育水平。儿童期的修炼者倾向于将自己的能力与同龄人进行比较以进行自我评估。因此, 指导者应引导修炼者将自己与过去的自己进行比较, 而不是与同龄人比较。此外, 应提供通过小挑战和成功创造一些体验成就的机会。

(1) 身体发育

在儿童期, 手眼协调发展, 运动功能显著提高。换句话说, 这是修炼者可以参与连贯活动并享受竞争的时期。虽然与幼儿期相比, 身体发育放缓, 但身体自控能力增加。在这个阶段, 修炼者学习各种技术, 如跑步、跳跃、翻滚和踢腿。通常, 孩子在10到11岁之间进入青少年期, 发育迅速。在此期间, 自我意识增强, 身体迅速变化。

(2) 社交能力发展

在儿童期, 修炼者关注同龄人的声誉, 并基于感情、钦佩和尊敬形成友谊。朋友圈中会自然出现一些指导者, 其观点对同龄人有很大影响。在这个过程中, 孩子学会施压、拒绝、认可和保持一致, 形成促进社会发展的价值观和信仰。此外, 孩子学习人际关系中所需的互动技术, 学会合作和谈判技巧, 并通过遵守或打破规则了解他人的观点。换句话说, 当孩子理解社会关系和结构时, 开始从以自我为中心转向亲社会的行为。这有助于孩子们获得解决社会问题的能力并顺利解决冲突。

(3) 情感发育

随着注意力在儿童期的发展, 孩子们可以持续很长时间做一件事。因此, 接到分配的任务时, 孩子们会制定计划, 但经常因失败而感到沮丧。当孩子开始认识到在一个事件中可以经历多种情感时, 便会经历复杂的情感, 如内疚、羞愧和自豪。孩子们学会隐藏或表达自己的感情, 以免伤害别人, 并可能敏感地回应和同情。值得注意的是, 在这个时期, 孩子们对于不能被同龄人接受或无法承担挑战感到焦虑。

(4) 认知发育

在儿童期, 大约在8岁左右, 孩子们达到具体操作阶段, 可以理解可逆性(如冰和水)、身份和分类的概念。在此期间, 孩子们通过提问、探索、对各种事物的兴趣和好奇来学习。随着孩子逻辑思维和解决问题的能力发展, 会与同龄人争论, 但仍然只能简单地推理, 还不能考虑各种可能性。其数字概念和词汇大大发展。

儿童期修炼者的教学

- 儿童期修炼的目标是协调地发展身体、心理和社交技术。
- 在身体方面, 定期评估体格和体力, 并将结果用于跆拳道教学。
- 在心理方面, 为修炼者设定适合的修炼目标。这个时期的学生经常将自己与其他修炼者进行比较, 容易自我批评并产生自卑感。
- 儿童期的孩子对同伴评价非常敏感。往往因为害怕在同伴面前展示自己的技术而避免挑战。指导者应引导儿童期的修炼者通过不困难的挑战并克服失败来体验成功。

3 ___ 青少年期(14-19岁)

青少年期是连接儿童期和成年的过渡阶段。在中学阶段, 身体、心理、社交能力和智力发育显著, 使个人需求和兴趣多样化。在高中阶段, 直到毕业前都发生着快速的生长和发育。这个时期在身体和心理发育方面最为重要, 为终身体力和健康奠定基础。因此, 指导者应策划并提供各种跆拳道技术和实践项目, 以满足修炼者的各种需求和兴趣。同时, 有必要为经历各种身体变化的修炼者提供适合其生长和发育的实践项目。

(1) 身体发育

在青少年期, 随着身高和体重的增长, 第二性征开始出现。男性的肩部变得更宽, 胸部变得扁平。女性的胸部和骨盆区域发育明显。由于青少年期修炼者在生长和发育方面存在很大的个体差异, 技术熟练程度也有相应的差距。

(2) 社交能力发展

青少年对友谊非常感兴趣; 有时候, 会为了追求友谊而无视成年人或社会规范。青少年可能对父母的权威感表现出叛逆态度, 倾向于跟随那些给予认可和理解的成年人, 而不是那些给予建议的成年人。同时, 青少年期修炼者会发展社交技术, 具有强烈的竞争意识和独立意识。

(3) 情感发育

由于身体和生理变化, 青少年期修炼者容易出现情绪波动。青少年会经历敏感时期, 在面对困难时会感到焦躁和困惑。在情绪波动时, 有时会根据自己的心情采取冲动行为。

(4) 认知发育

在青少年期的早期, 认知发育迅速。然而, 此时还没有达到高阶逻辑思维的阶段。稍后, 青少年会积极追求智力, 开始知识体系化。例如, 青少年强烈地追求无尽的幻想、理想和向往。此外, 青少年也关注自己的体格、个性和能力, 并思考自己如何生活。在这个过程中, 青少年会质疑社会的道德和法律, 设立自己独特的标准, 并对社会、政治和经济事件产生兴趣。青少年期修炼者有时会将跆拳道修炼经历视为自己人性发展的基石。

青少年期修炼者的教学

- 青少年期修炼者具有逻辑推理能力。因此, 指导者应根据科学原理解释跆拳道技术。
- 在这个阶段, 修炼者认可那些能理解其感受和行为的指导者。因此, 指导者应努力获得信任并树立榜样。
- 在教授青少年期修炼者时, 通过交谈与其建立融洽的关系很重要, 同时确保指出需要纠正的错误以促使孩子在正确的道路上成长。与其在众人面前指出修炼者的错误, 最好给予单独引导。
- 青少年期修炼者具有强烈的竞争欲望。因此, 运动型修炼者可能会产生优越感, 而觉得自己技术不足的修炼者可能会感到气馁。因此, 指导者应设定合适的修炼方向和目标, 让修炼者与过去的自己比较并成长, 而不是与同龄人竞争和比较。

---

4 __ 成年期(20-60岁)

成年期是20岁至60岁之间的阶段, 人们在这个阶段最积极地参与社会活动。然而, 随着年龄的增长, 身体力量会随之减弱, 成年人在后期会经历各种生理变化。特别是在这个阶段, 由于缺乏锻炼、过量摄入营养以及各种压力源, 成年人面临高血压、肥胖和糖尿病等成人疾病的风险。成年期的跆拳道修炼不仅可以预防老年病, 还可以缓解紧张和焦虑, 增强生活意愿, 为过上愉快的生活提供活力。

(1) 身体变化

在20多岁的时候, 人们达到身体发育的顶峰。此后, 随着身体和生理上的老化, 身体功能逐渐下降。例如, 视觉和听觉功能在40岁左右开始出现衰退。此外, 体力活动减少、饮食习惯改变和压力都可能导致肌肉减少和体脂增加。

(2) 社会关系变化

人们在成年期的早期阶段开始参与社会活动。这样, 人们与一些人保持密切关系, 并感受到归属感。没有这种亲密感和归属感, 维持工作和家庭可能会变得困难。在成年期, 人们承受着维持工作和家庭的巨大负担。原因在于, 人们需要对工作中的人际关系以及婚姻和亲子关系承担责任并给予关注。

(3) 情感变化

成年期是人生中有很多选择的阶段。在这个阶段, 人们可以进行自我表达, 适应频繁的社交需求, 扮演各种复杂的角色。这是压力最大的时期, 外部因素可能导致健康状况不佳。

(4) 认知变化

在成年早期, 没有明显的智力或认知技术损失。人类的认知能力从25岁开始下降。为了准确确定成年早期的认知变化, 有必要同时考虑每个人的教育水平、社会经济地位和健康状况。然而, 随着视觉和听觉等感觉和知觉能力逐渐下降, 智力和信息处理能力也会下降。

成年期修炼者的教学

- 虽然都属于成年期, 但20多岁和50多岁的人的身体功能差别明显。因此, 教授跆拳道技术时应根据个人的骨架结构、脂肪分布和肌肉发育情况进行个性化教学。
- 对于成年修炼者来说, 高技术水平或过度的团体活动可能会导致压力。跆拳道的教学应以寻找快乐、缓解紧张和改变心情为目标。
- 在指导这个阶段的修炼者时, 指导者应提供科学的指导和专业知识, 帮助修炼者理解相关原理。

5 — 晚年期(60岁或以上)

晚年期是指60岁以后的人生阶段。这个阶段最明显的特征是由于反应延迟而导致的行为减缓。行为减缓表现为反应时间、解决问题、记忆和信息处理逐渐变慢。在晚年期间,人们不能迅速应对环境变化,增加了安全事故的可能性。因此,指导者应关注晚年修炼者的安全。这些修炼者的目标是在修炼过程中与同龄人共度美好时光。这为老年人的生活带来活力,减缓衰老,有助于保持良好的健康。

(1) 身体变化

总的来说,在晚年期,由于肌肉质量减少和柔韧性降低,身体功能恶化,身体组织细胞的功能也衰退。在心理方面,由于孤独和孤立感,老年人的自信心降低。随着生理和心理衰老,自然恢复功能减弱,导致容易疲劳,恢复力和适应周围环境的能力降低。

(2) 社会关系变化

在晚年期,由于退休或失去配偶和朋友,修炼者的社交网络缩小。这时候,与成年子女建立适当的联系是很有必要的,但当老年人在这种关系中变成依赖者时,这可能会变得困难。

(3) 情感变化

在晚年期,表达情感的能力减弱。这其中一个原因是个体适应了抑制情感表达的社会规范。此外,在这一时期,由于退休后收入减少,以及生活意义、兴趣和享受的丧失,可能会出现抑郁症状。

(4) 认知变化

在晚年期,思维能力和记忆显著减弱。晚年期的人可能会在认知功能方面出现下降,例如反应速度减缓。然而,老年人通过长期的生活经验积累了智慧。

晚年期修炼者的教学

- 对于晚年期修炼者,应重视身体安全,充分进行热身和放松运动。
- 与其进行过度的体育活动,更重要的是根据其健康状况或体能水平选择并练习适当的运动。例如,年轻修炼者在练习品势时动作克制、严格,而晚年修炼者则专注于轻柔地表现动作的掌握。
- 由于晚年期是人际关系逐渐减弱的时期,跆拳道修炼可以通过提供合作和交流的机会,培养修炼者的归属感。

4 跆拳道人性

1 — 跆拳道修炼与人性

(1) 跆拳道人性的含义

跆拳道人性是一个复合词, 结合了"跆拳道"和"人性"这两个概念。"跆拳道"是一种武术和运动, 旨在训练以踢为主的徒手护身和攻击技术, 进行提升护身技术和取得自我实现。"人性"是指在生活中有效应对各种挑战和需求所需的社会、心理和行为能力。能力用于表示人性的整体水平, 包括明辨是非和实践这种辨别能力。人们不仅需要了解道德和伦理知识, 更重要的是理解这些知识并有将其应用于实践的动机。将这些道德和伦理标准付诸实践, 是跆拳道修炼的另一个目标。

"跆拳道人性"是指通过跆拳道修炼所能学到的身体、心理和情感能力; 它体现于修炼者内心的价值观。通过内化跆拳道修炼的价值, 修炼者不仅将其应用于跆拳道道馆, 还将其应用于日常生活。因此, 基于理想人性的修炼为成长为模范公民奠定了基础。

跆拳道人性是通过修炼环境、指导者和课程培养的。人性发展过程中, 指导者应基于特定和系统的跆拳道课程, 给予有意识的引导。在这个优化的环境中, 修炼者通过身体练习认识到自己身心的价值, 从而培养自己。培养自己的抽象含义也可以表达为"通过跆拳道修炼成长为具有理想人性的人"。换句话说, 人性发展水平较高的修炼者可以有效地将通过跆拳道学到的社会、心理和身体价值扩展到生活的各个方面, 如学校、家庭和社会。

我是否通过跆拳道培养了理想的人性?

- 练习跆拳道技术并不能保证培养出理想的人性。技术练习只是提升品势、实战和示范表现的一种手段。
- 因此, 在练习品势、实战和击破时, 修炼者不仅要发展自己的身体功能, 还要培养自己的心理价值观。心理价值观的培养最终需要增强对于身心的控制。
- 当心灵和身体共同努力时, 这种控制才能达到完美。当修炼者在跆拳道道馆学会控制身体和心灵的能力, 并在生活中充分运用这种能力时, 就通过跆拳道修炼培养出理想的人性。

---

(2) 跆拳道修炼与人性培养

在跆拳道中, 体育方面的反复练习很重要。修炼者在反复练习跆拳道技术时会体验到各种成就感。成就感会给修炼者带来乐趣和动机。在体验到跆拳道的乐趣和动机后, 修炼者会继续修炼跆拳道或专注在修炼中。如果这个过程持续下去, 修炼者将体验到沉浸感。处于沉浸状态时, 修炼者会体验到放松、专注、活力、时间、视觉错觉、控制、自动化和无意识。当放松时, 修炼者感觉到自己的身体轻盈、舒适,技术运用得心应手。当专注时,修炼者也有同样的体验。当充满活力时,修炼者感受到一股能量,而不是疲劳。当处于沉浸状态时,修炼者失去了对时间的感知,动作显得缓慢。修炼者会经历一种视觉错觉,其中对手的护具或头盔看起来更大。当修炼者获得控制时,其心灵和身体完全受到控制,完全不会分心,技术在无意识中得到完善。最重要的是,跆拳道修炼本身充满乐趣,让修炼者感到快乐。修炼者在跆拳道练习过程中会流汗。汗液在生理上调节体温、排除废物,并为心理满足和减轻压力提供基础。压力是在接收和处理外部刺激时发生的适应不良现象,也是所有疾病的根源。荷尔蒙如皮质醇和催产素会被释放,心脏泵血速度加快,压力增加。

当压力水平上升时,我们的身体会自动激活抵抗系统。然而,抵抗主要取决于内心的决策,如情感。压力会被看作挑战吗?还是会被看作威胁?由于个体差异较大,这一决策变得极为主观。将压力视为威胁可能会因信心和免疫力下降而导致疾病。当压力被视为挑战时,可以通过寻找解决方案并用它来克服压力。

为了积极解释压力情境并将其视为挑战,保持情绪稳定非常重要。跆拳道修炼有益强化心灵,可促进情绪稳定。跆拳道包含了从寻求情绪稳定的心理练习到改善身体功能的身体练习的所有方面。这称为"跆拳道人性发展教育"。因此,跆拳道被认为是一个寻求稳定身体和心灵的修炼系统。

跆拳道通过在练习中反复掌握和取得成就的经验,帮助修炼者克服压力,成为高尚的公民。例如,修炼者在尝试执行困难技术失败后可能会想放弃。毫无原因地一遍又一遍地反复练习技术可能会变得乏味。自然地,继续锻炼的想法可能会减少。在这种情况下,师范应为修炼者提供具体和有计划的修炼目标。修炼者在修炼过程中必须有意识地关注技术。重要的是要经常取得较小的成就,并提供积极和有益的反馈。最重要的是,师范应提醒修炼者在练习技术时感受呼吸急促、胸口紧缩或肌肉灼热是多么重要。这对修炼者来说是一个很好的测试极限的机会:"是时候放弃了吗?还是时候克服这个极限?"当修炼者经常面临这样的极限时,其技术将得到提高,内心也会变得更强大。

修炼者在专注于克服困难的过程中,为成长和发展创造了一个平台。在某个时候,修炼者可以轻松地打破两块2.5厘米厚的松木板,成功地展示一种困难的踢法,并在实战中制服对手。体验到掌控身体和心灵如此美妙,让修炼者感觉自己可以克服任何压力。

游戏和令人兴奋的玩耍帮助人们通过寻找乐趣来避免压力。严格地说,这只是让人们暂时忘记压力。这与在卡拉OK房里唱歌、跳舞和玩耍的原理相同。然而,跆拳道修炼增强了对压力的免疫力和抵抗力,以及克服压力的身体和心灵的力量。它还有助于培养一个能够抵抗外部环境引起的病原体的身体和态度。

修炼者在修炼跆拳道时,无论在身体上还是心理上都意识到了自己的局限。修炼者通过品势学会如何使用身体,并通过击破测试身体的极限。修炼者在与对手的实战中克服自己的极限。特别是,修炼者以师范为榜样学习技术,并在教育氛围中学习各种社会、情感和心理价值观。这些价值观渗透到跆拳道道馆、家庭和社区的生活中。当修炼者将在跆拳道道馆学到的跆拳道价值观应用到所属的社会时,就会成长为一个更好的人。

2 ── 跆拳道人性的领域和实践品德

(1) 跆拳道人性领域

跆拳道人性发展的教育经历了一个扩展修炼层次的过程,即"我→你和我→我们→每个人"。跆拳道修炼的目标包括自我认知、理解他人、与他人建立联系,以及通过体验基于跆拳道的人性发展的实践品德来为所有人实现实际成果。跆拳道人性在每个层次上都有一个范围,且这些范围相互关联。这是因为跆拳道开始是作为一种个人练习,之后逐步发展成为与其他人的团体练习,目的是连接社会的价值。

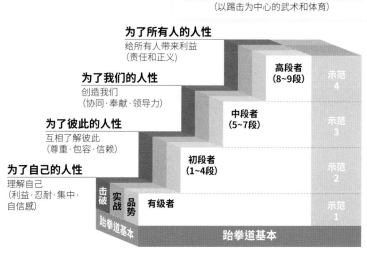

通过身体和精神练习实现自我防卫和自我实现
(以踢击为中心的武术和体育)

跆拳道人性教育的概念图

对我来说的人性领域: 在"人内人性"中,身心的控制能力是一起发展的。通过了解自己的本色,接受并调整它们,就可以重塑自我。这个领域的实践品德包括礼仪、忍耐、专注和自信。跆拳道修炼旨在通过磨砺和打磨自我的实践,培养对自我和他人的尊重。通过对跆拳道技术的身心经验,以及关于礼仪、忍耐、专注和自信的修炼系统,可以培养自尊心。

修炼者在练习时注重礼仪,表现谦逊。通过忍受艰苦的练习,修炼者学会了忍耐。修炼者有意识地关注自己的身体和心灵。通过品势、实战和击破,修炼者体验到成就感。这个过程给修炼者带来了一种信念,那就是自己可以独立完成任何事情。

你和我的人性领域: 在"人际人性"中,通过面对"我"的"你",跆拳道修炼的体验系统逐渐扩大。"你"是所有跆拳道修炼者中与"我"一起练习跆拳道的人,是"我"的另一种形式。"你和我"的人性要素是在"我"和"你"的动作中学习的。这个领域的品德包括尊重、关爱和信任。

通过这种礼仪,修炼者学会相互尊重。修炼者与对手一起了解到防御和攻击系统的意义以及关爱的原则。修炼者通过实践"你和我"的品德并树立榜样来建立信任。修炼者通过跆拳道发展自我控制技术，并养成在跆拳道道馆内外实践礼仪的习惯。礼仪是建立尊重、关爱和信任的基础。

我们的人性领域："社会人性"指的是"你"和"我"一起创建的团体或社区。这指的是我们的跆拳道道馆、我们的家庭、我们的学校、我们的公司、我们的社区、我们的社会和我们的国家等多元社区。它作为连接更大社区的纽带。社区需要的代表性品德是合作、乐于奉献和领导力。

修炼者在跆拳道这个社区中理解"我"，通过了解"你和我"，创建"我们"。在跆拳道道馆体验和学习的人性品德，旨在不仅在跆拳道道馆，也在修炼者所属的社区中实践。修炼者记住了作为跆拳道修炼者，总是尽最大努力的心态和态度。这种态度发展为对"我"、对"我们"和社区的奉献。修炼者通过在跆拳道道馆的奉献，发展领导力技术和品质。修炼者在跆拳道道馆中协作练习，并将这种合作扩展到家庭、学校和社会的发展。此外，修炼者作为指导者，通过志愿服务来形成"我们"和一个社区。

为所有人的人性领域："全体人性"将"我们"的社区连接到世界。跆拳道修炼者的目标是实现从"我们"到"所有人"的目标。最终，修炼者为我们所有人创建了一个基础。所有人的选择从区分是非开始。它旨在为公共利益和社区的发展做出贡献。实现个人目标，你和我的目标，我们的目标，以及所有人的目标，首先需要负责任的行动。

在跆拳道修炼中，修炼者可能需要面对一系列的困境。修炼者可能需要努力抵制在艰难的身体练习中放弃的冲动，或者认为自己可能无法忍受拉伸腿部肌肉和韧带以增强灵活性的疼痛。在这种情况下，修炼者挑战自己的极限，并坚持克服挑战。最后，修炼者通过与自我斗争取得胜利，意识到履行责任的品德。通过这种方式，修炼者养成了以公正的心态和负责任地行动的习惯。在跆拳道道馆建立的习惯被转移到日常生活中。修炼者在跆拳道修炼过程中扩大了自己对责任和公正(公平)的体验，延伸到开放的社区。最后，修炼者经历了在每个层次上发展积极人性特征的过程，并在社会中使用所获得的信息。

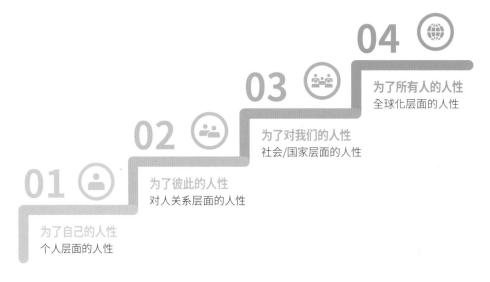

通过跆拳道修炼发展人性

(2) 培养跆拳道人性的实践品德

表达感情的词语或术语的定义和含义往往会因人而异。因此, 需要对"跆拳道中人性的含义、构成此类人性的品德、以及这些品德的含义"这些问题给出明确的答案。师范应该知道并教授其在跆拳道道馆使用的实践品德的含义。这些品德的含义应该被正确理解, 如此才能适当地使用。

师范应该能够理解和解释那些事关人性发展教育的实践品德。此外, 应该提供机会, 使修炼者能够在适当的时间, 实际体验这些品德。最重要的是, 师范必须实践人性发展的品德, 让修炼者有机会见证和领悟其价值。

在进行人性教育时, 师范必须首先通过言语表达这些品德。例如, 师范可以在修炼者进行锻炼冥想时, 或者进行身体练习时, 使用"专注", "注意", 和"控制"等词语。或者使用如"身体的忍耐"和"心灵的节制"等短语。此外, 对于击破, 可以使用"自信", "相信你能做到", "成就感"和"专注于你的目标"等口号。修炼者自然而然地接触到这样一个人性教育的环境, 可在练习中理解并内化这些品德, 从而在身体和品德之间建立联系。然后, 修炼者通过冥想来集中注意力, 在身体练习中展现忍耐和自制力, 并通过击破自然地获得自信。最后, 当修炼者在跆拳道道馆之外遇到类似情况时, 会运用这些品德。

跆拳道人性教育的前提条件

- 跆拳道人性发展教育的目的是让修炼者将所习得的价值观应用到自己的生活中。为此, 有必要详细定义抽象的跆拳道人性品德。如果师范对"人性品德"有不同的解释, 那么发展这些品德的教育内容也可能大相径庭。当内容改变时, 评估也必须变化。至于跆拳道人性, 至少应该明确品德的含义。必须正确地向修炼者解释品德的含义。基于正确的信息和知识, 行动才可能出现。因此, 师范必须提供正确的定义和解释, 然后实践品德。修炼者开始通过耳濡目染来学习, 然后是人性的身体力行。

图标 (品德)	口号 (标语)	定义		实践目标(具体实践品德)
 礼仪	正确的思想 和行为	– 理解和尊重他人并表现出相应举止的心态 – 作为人的职责	跆拳道道馆	• 正确穿着道服和佩戴道带。 • 遵守修炼的礼节。 • 与同伴热情地打招呼。
			家庭	• 认真听家人说话。 • 使用礼貌的语言。 • 用言语表达你的感激之情。
			社会	• 初次见面时向人问好。 • 根据场合穿着得体
 忍耐	克服困难 的能力	– 忍耐度过困难和艰难的境况 – 控制和管理自己情绪的能力	跆拳道道馆	• 反复练习技术或动作。 • 忍受并克服艰难的训练。 • 不断练习困难的动作。 • 练习自我控制。
			家庭	• 思考什么让你生气。 • 在给出意见前仔细倾听。 • 管好自己的内心。
			社会	• 认识到差异并等待彼此。 • 为了达到目标而坚持立场。 • 在不受情绪偏见的影响下理性回应。
 专注	沉浸的开始	– 看到应该看到的, 听到应该听到的 – 保持对感兴趣事物的注意力的能力	跆拳道道馆	• 在训练中知道训练的目的。 • 在练习动作时保持注意力。 • 专注于使身心和谐。
			家庭	• 在对话中不使用手机。 • 关心家人。 • 表达对家人的爱。
			社会	• 优先考虑重要的事情。 • 在工作时设定具体目标。 • 在对话中不分心(手机)。 • 努力理解他人意图表达的内容。
 自信	相信自己	- 相信自己可以做任何事 - 相信自己可以面对新的挑战并取得新的成就	跆拳道道馆	• 在训练中获得成就的经验。 • 接受新的挑战。 • 坚定地大声喊口号。 • 有力地表达跆拳道的动作。
			家庭	• 首先承认你的错误并道歉。 • 积极地表达你的想法。
			社会	• 不要认为做某事是不可能的, 而是寻找解决方案。 • 不怕尝试新事物。 • 努力克服缺点。

图标 (品德)	口号 (标语)	定义		实践目标(具体实践品德)
尊重	看重和尊敬	- 看重自己和他人 - 承认差异	跆拳道道馆	• 发现并赞扬他人的优点。 • 理解他人的错误。 • 爱护道馆的设备
			家庭	• 理解家庭内部观点的差异。 • 遵循好的榜样。 • 有接受他人观点的态度。
			社会	• 不说可能冒犯他人的话。 • 接受他人的真实的一面。 • 认识到文化差异并有学习的态度。
关爱	为他人着想	- 提供和让步的心态 - 站在他人的角度考虑问题(同理心)	跆拳道道馆	• 不干扰他人的训练。 • 使用后整理训练工具。 • 给犯错误的同伴一句鼓励的话。
			家庭	• 在开始对话之前尝试理解他人的感受。 • 不做你的家人不喜欢的事情。
			社会	• 对困难的人作出让步。 • 离开前清理干净。 • 站在他人的角度思考问题。
信任	彼此之间的联系	- 相互信任和依赖 - 连接彼此的心	跆拳道道馆	• 准时。 • 通过跆拳道训练互相了解。 • 相信师范和同伴。
			家庭	• 要真诚。 • 不要撒谎。 • 信任并支持你的家庭。
			社会	• 不要迟到。 • 不要背后议论他人。 • 务必归还借来的物品。
领导力	以身作则	- 引领达到目标的道路并树立榜样 - 做好沟通，通过共同努力取得进步	跆拳道道馆	• 努力成为他人的榜样。 • 带头营造氛围。 • 与同伴和谐相处。
			家庭	• 努力树立榜样。 • 找到让每个人都开心的方法。
			社会	• 不坚持自己的方式，思考什么是最好的。 • 为所有人的利益而努力。 • 协调差异以达成共识。

图标 (品德)	口号 (标语)	定义	实践目标(具体实践品德)	
  合作	团队的力量	- 共同努力实现目标 - 聚集小的力量创造更大的力量	跆拳道道馆	• 使用后共同整理练习设备。 • 和谐地一起练习。 • 共同努力实现训练目标。
			家庭	• 一起做家务(整理, 清洁, 洗衣等)。 • 一起讨论并决定家庭事务。
			社会	• 根据角色分工。 • 在需要时互相帮助。 • 一起寻找更好的实现目标的方法。
  乐于奉献	尽己所能	- 愿意全力以赴 - 为公共利益尽己所能	跆拳道道馆	• 服务跆拳道道馆。 • 即使困难也要支持同伴。 • 即使困难也要尽力而为。
			家庭	• 首先做家务。 • 尽全力做好分配给你的事情。
			社会	• 努力为社会做贡献。 • 帮助有需要的人。 • 为社会服务。
  责任	对所有人的承诺	- 完成自己的工作 - 努力履行承诺	跆拳道道馆	• 完成与道带相匹配的品势或技术。 • 在跆拳道道馆保持良好的行为举止。 • 作为一名跆拳道修炼者, 言谈举止需适当。
			家庭	• 有错误要承认并道歉。 • 履行你的承诺。 • 坚持到底完成工作。
			社会	• 努力纠正错误。 • 遵守社会规范。 • 始终保持遵纪守法的精神。 • 不要将今天需要做的事推迟到明天。
  正义	诚实和公平的心	- 明辨是非 - 行事遵循公平正义的原则	跆拳道道馆	• 遵循规则。 • 对待所有修炼者一视同仁。 • 公平竞争。
			家庭	• 行事诚实、真诚。 • 公平分享。 • 不偏袒任何人。
			社会	• 不做懦弱的决定或采取怯懦的行动。 • 不走捷径。 • 帮助弱者。

3 ─ 跆拳道人性的发展

(1) 跆拳道人性的发展过程

跆拳道人性发展的教育不仅通过技术的培养, 而且通过心灵价值观的培养得以完成。人性的价值在于通过长期重复和身心修炼, 使社会、心理和情感技术成为习惯。因此, 人性发展教育的目标是在跆拳道道馆内使身心保持正直, 并在道馆外充分利用这些价值。因此, 跆拳道指导修炼者走上正确的人生道路, 并进一步发展成为可以实践志愿服务和献身精神的人。

通过跆拳道修炼进行人性发展教育的目标是整合 "人性发展" 的知、感、行。跆拳道人性的发展是通过体验跆拳道修炼活动(如品势、实战、击破和示范)中的 "实践品德", 并进一步在内心发展 "跆拳道品质" 的过程。换句话说, 通过内化跆拳道精神和实际修炼中包含的品德, 学习跆拳道技术, 一个人就会成为具有 "跆拳道品质" 的跆拳道修炼者。

跆拳道人性的实践领域由四个阶段组成: "为了自己的人性"、"为了你我的人性"、"为了我们的人性" 和 "为了全部的人性"。修炼者通过跆拳道的修炼, 通过培养自己的身体和精神来完善自己。修炼的目的是为了发展和保持身心的平衡, 从而发展人性。换句话说, 必须考虑到认知维度(重视知识行为的价值)、情感维度(重视感觉(情绪)的价值)和行为维度(重视知觉和感觉实践的价值)。

认知维度(知)是理解跆拳道知识和技术的智力能力。这包括如何进行快速的横踢, 到理解对手的攻击技术, 并选择最佳防御技术的思考过程。在这样的情况下, 修炼者发展了理解各种技术, 知道在什么情况下使用什么技术, 以及思考的智力能力。

情感维度(感)指的是跆拳道修炼者感受、表达和控制各种情绪和感情的能力, 如喜悦和悲伤、身体的耐力、自我控制、愤怒和痛苦。除了通过自己的动作表达修炼中经历的情绪, 修炼者还发展了读取和共情他人情感和感情的能力。特别是, 修炼者通过控制情绪来完善技术, 进一步强化身体。

行为维度(行)是理解跆拳道的技术体系的能力, 以及基于修炼者共情和控制能力感受和表达情绪的执行所获技术的能力。修炼者反复学习和实践它, 使其成为习惯。通过在身心上记住这些能力, 修炼者继续其自主、关系和积极实践。跆拳道让修炼者了解自己, 与他人共情, 并发展控制自己和实践的能力。这些实践能力不仅在跆拳道道馆上, 而且在家中和在本地社区也显示出它们的真正价值。

平衡的人性发展

(2) 跆拳道人性的开发

学习跆拳道并不一定会自发地改善一个人的人性。跆拳道的技术本身与人性开发无关，要开发人性还需要主观意愿和计划。师范和修炼者应该根据一个计划做出有意识的努力。为此，必须具备以下几个因素。

首先，必须设定具体的修炼目标。有目标的人会愿意真诚付出努力来实现目标。真诚意味着"稳定"，努力意味着"花费时间和精力"。有具体目标的修炼者每天都更加勤奋地练习跆拳道。真诚的努力日积月累，修炼者就会取得好的结果或感受到成就感。成就感会提升信心和能力。能力是一个人"能做"某事的信念，这是实践人性和人性转移的源泉。

其次，为了完善技术，必须保持高度的专注。修炼者需要专注于每一个瞬间的动作和流动。当技术不断重复时，很难意识到或专注于技术。重复有助于达到一定的技术水平，但不能达到高水平。高级技术可以通过理解原理并在每一个瞬间专注于更好的表现来获得。专注让修炼者看到其需要看到的地方，并帮助其收集重要的信息。有用的信息帮助修炼者做出合理的判断，进而让采取的行动有意义且合理。

第三，需要使用有价值的反馈，这对修炼非常有帮助。反馈可用来纠正错误，在修炼中让修炼者了解哪些是理想的人性，通过身体习得理想的人性，将跆拳道的价值观转移到日常生活中。根据情况立即给出反馈最为有效。特别是在设定目标或提高修炼者的专注度方面，反馈非常有效。师范应通过语言、手势、图像和示范提供高质量的信息，以使修炼者能正确地练习技术。有价值的反馈增强修炼的动机。动机使修炼者能够更专注于某个特定的事物并忍受困难。

第四, 需要不断挑战极限。极限会带来不适和不舒适的情绪。基于本能, 人们习惯于尽量停留在更舒适的地方。然而, 要通过跆拳道发展人性, 就需要经常体验到"限制"、"忍耐"、"挑战"、"毅力"、"控制"和"理解他人"的不适感, 而不是舒适感。如果修炼者经常感到不舒服, 那就意味着修炼者在有意识地练习。不适感会带来比简单享乐更好的姿势、技巧或启示。必须决定在特定的一天练习什么, 并有意识的持久练习。有意识的练习是减少人性发展所需绝对时间的驱动机。

跆拳道人性开发的教育方法

4 — 跆拳道人性的开发阶段

发展修炼者的人性特质并将其转移到跆拳道道馆以外的日常生活中, 师范的角色至关重要。跆拳道人性教育由六个步骤组成。处于第一步的师范只是确保跆拳道修炼环境安全, 并专注于跆拳道的技术教学。达到第二步的师范会创造一个积极的修炼氛围以及系统的修炼环境。达到第三步的师范不仅提供跆拳道的技术教学, 还提供人性的直接见解和概念。修炼者和师范互动以发展人性特质。达到第四步的师范超越了与人性概念的互动, 为修炼者提供了展示和实践人性发展品德的机会。达到第五步的师范帮助修炼者理解, 在跆拳道道馆学到的品德可以转移到日常生活, 并激励修炼者去实践这些品德。师范为人性培养在跆拳道道馆和日常生活之间建立了联系。最终达到第六步的师范引导修炼者展示所学习和适应的人性发展的实践品德, 不仅在跆拳道道馆, 也在日常生活中, 如在家里和社会中。

跆拳道人性教育的成功或失败取决于师范。当师范向修炼者教授跆拳道技术时, 并不一定意味着师范也在帮助后者培养出理想的人性。跆拳道技术本身并不能保证人性的培养。换句话说, 人性并不仅仅来自于技术的练习。它更受到练习氛围, 师范的能力, 以及修炼项目的影响。换言之, 跆拳道人性教育以师范为中心。因此, 师范必须不断发展自己的领导能力。出于这个原因, 建议师范定期评估自己的领导技术。人性教育的六个步骤可以用来评估发展人性特质的教学能力。如各步骤所示, 当师范在跆拳道修炼环境中有意识和系统地教授理想的人性特质时, 人性培养的成效有望更显著。

阶段 6	引导在日常生活中,家庭和社会中使用实践品德。
阶段 5	激励将跆拳道的人性价值观应用到生活中。
阶段 4	在修炼跆拳道时实践和习惯化实践品德。
阶段 3	通过互动解释概念以理解人性。
阶段 2	在教授技术时创造一个积极的关怀气氛。
阶段 1	创建一个安全的修炼环境,教授跆拳道技术。

跆拳道人性教育的六个阶段

(1) 安全的修炼环境

跆拳道在以下三个方面对修炼者的人性发展具有积极影响。

首先,实战被用作修炼者体验人性发展的一种手段。实战在健康且公平的条件下进行。修炼者在与同伴合作的过程中发展其比赛技术,并体验到各种社会价值。

其次,跆拳道从根本上是一种提高身心控制力的运动。修炼者必须均衡地发展其心理,身体和技术,并控制这些因素以保护自己。在努力掌握跆拳道的过程中,修炼者可以体验到人性发展所需的核心价值。

第三,修炼者在与师范互动(通过示范或观察)及与同伴遵守礼仪的过程中,可以发展出具有高实用价值的社交技巧。修炼者在跆拳道道馆上观察良好的模范(如师范),并通过与他人的练习发展自己的人格。这意味着修炼者处在一个有利的人性发展环境中。通过这些社交互动,修炼者将经历各种可以影响其人性发展的事件和事情。

能够融入日常生活的人性价值不能仅仅通过学习跆拳道技术来发展。师范应将技术之外的价值融入到修炼项目中。因此,师范应该做出以下努力来构建这种跆拳道修炼环境。首先,需要创造一个修炼者可以感到身心安全的环境。其次,需要通过提供具体的目标来提出愿景。第三,需要提供系统性和积极的项目。其中应该包含明确且有意义的活动,以保持修炼者的专注状态。第四,需要提供具有挑战性和实践性的活动。

在跆拳道道馆,有一些规则供修炼者通过积极体验来培养其理想的人性,并将其转化到日常生活中。师范和修炼者必须共同遵守这些规则。修炼者必须有通过跆拳道要达到的明确且清晰的目标。为此,师范必须为修炼者设定明确的期望。师范和修炼者必须对自己的行为负责。在有问题的行为或情况发生时,应提供自我反思和预测结果的机会。尤其在跆拳道道馆,每个人都应遵守并遵循相同的规则。当跆拳道道馆的规则得到适当遵守并一致执行时, 可以对修炼者的人性发展产生积极影响。

(2) 积极的道馆氛围

师范通过在跆拳道道馆营造积极的氛围, 鼓励修炼者继续与其同伴或师范进行互动。为此, 师范首先应该成为修炼者的好榜样。师范可以采用以下策略来积极树立榜样。首先, 要有耐心。其次, 根据每个修炼者的水平设定现实的期望。第三, 对修炼者, 家长, 员工和其他师范表示尊重。第四, 进行互动和开展富有成效的沟通。第五, 把错误当作学习的过程。一个能让修炼者从师范那里体验到如此积极行为模式的氛围, 可以对其人性发展产生影响。此外, 积极的氛围对于修炼者与他人建立积极关系至关重要。

在与修炼者互动时, 师范应考虑形成关系的认知、情感和行为因素。师范应通过有意识的努力帮助修炼者建立高质量的关系, 这不仅连接着跆拳道道馆, 还连接着与生活相关的人性元素。建立师范和修炼者之间的良好关系也有助于营造积极的氛围。此策略如下。首先, 师范应真诚对待修炼者。其次, 师范应站在修炼者的立场上思考并认识到修炼者的价值。第三, 师范应以言语和非言语方式表达同理心。第四, 师范应明确表明其期望和需求。

师范应尝试使修炼者之间建立良好的关系。例如, 师范应通过一些集体活动帮助修炼者找到归属感。这样的活动会让修炼者以更积极的动机参与跆拳道修炼。一个可以形成积极关系的运动环境, 使修炼者获得可能影响其人性发展的经验。

师范还应通过给予修炼者挑战自我、发展技术并互相交流的机会, 提醒修炼者自信的重要性。从实践的角度看, 师范应鼓励修炼者在练习中积极参与决策并寻找解决方案。

在营造积极的练习氛围时, 另一个需要考虑的因素是充分利用自然产生的教学时机。教学时机是未计划的事件或具有瞬间发生的特点。例如, 基本动作是所有跆拳道技术的基础。良好的基本动作能够使修炼者掌握许多应用技术。因此, 修炼者不应忽视基本动作的练习。师范应向修炼者解释基本动作为何重要, 为何应尽全力去学习。

> *基本动作的练习比任何其他技术都更重要。在将基本动作应用到各种动作之前, 起码需要能够正确地做出基本动作。你应尽全力去练习你正在做的基本动作。全力以赴意味着要专注并认真地练习每一个动作。即使是单一的动作也需要你注意。现在, 让我们专注于每一个动作, 尽全力去练习。*

如果师范能够善用自然产生的教学时机, 那么就可以为修炼者提供通过经验发展个性的机会。然而, 处于这一步的师范大多更倾向于即兴发挥而不是提前计划, 很多时候只是根据情况做出反应。

(3) 理解和解释人性培养的实践品德

为了理解在修炼情境中必须学习的实践品德的概念, 师范和修炼者在对话交流中提供了跆拳道人性培养的实践品德的解释。第一步是定义人性品德的概念。例如, 通过在练习开始时向修炼者提问, 师范可以向修炼者提供一个思考实践品德的意义、理解和应用的机会。

师范可能会问: "礼节对你意味着什么?" 或者 "你如何与人建立良好的关系?" 以及 "为什么学习跆拳道中的礼节很重要?" 例如, 在练习开始时, 师范解释礼仪的意义, 帮助修炼者正确理解礼仪。此外, 为了帮助修炼者理解, 在跆拳道道馆中必须遵守的礼节的具体例子也会被提出。

> 大家知道礼仪和礼节的区别吗?礼仪是对他人的尊重, 而礼节是显示这种尊重的行为和程序。跆拳道道馆中的礼节包括问候、倾听和穿着道服。作为跆拳道修炼者, 让我们所有人都遵守礼节, 参与练习。

此外, 师范可以为修炼者提供一个结构化的定义, 以帮助其理解礼节。例如, 礼节可以被教导为 "正确的心态和行为"。它可以被定义为理解和尊重他人的内心和态度, 以及作为一个人应遵循的职责。清楚理解每个实践品德含义的修炼者, 更有可能发展理想的人性并在日常生活中实施。一旦明确定义了实践品德, 师范应该花时间讲解实践品德的重要性。在解释技术或修炼项目时, 师范可以提供人性培养的教学。当要求修炼者在练习基本跆拳道动作之前排开行列时, 师范可能会解释对他人的 "关爱" 和 "尊重"。

例如, 当修炼者进行踢靶训练时, 师范可解释修炼者与助手 "照顾" 彼此和进行踢靶训练作为一种学习打击感和时机的练习方法的原因和必要性。

> 踢靶的目标是通过踢动一个移动的物体来提高踢腿的准确性。所以, 在踢靶中, 痴靶者和踢腿者应该协调一致。特别是, 持靶的修炼者必须在观察动作的同时协调配合, 以便踢腿的修炼者能正确地击中它。试着把脚靶当做踢腿者的对手, 并和踢腿者一起集中力量喊出口号。

师范此时可谈论实践品德的概念和重要性。为了人性发展, 师范应该做出以下努力, 以增强修炼者的自信心: 首先, 师范应该鼓励修炼者在跆拳道修炼环境中应用实践品德。当修炼者实践人性品德时, 应立即给予积极反馈。建议通过提问等方式有意提供人性发展的机会, 即使在练习结束时也是如此。例如, 师范通过询问修炼者如何在日常生活中使用忍耐这一品德, 帮助修炼者将跆拳道的经验延伸到家庭和社会。

> 有人记得我在今天的练习中说过关于忍耐的话吗?当你的身体和心灵达到极限时, 你是怀着什么样的心态坚持下来的?这样的心态在你的日常生活中何时会帮到你?今天, 你在练习

中展现了真正的忍耐。当你在日常生活中面临困难时,你可能会像今天那样坚持下去,这可能会让你享受到更大的成就感。

反思总结练习经验和身体练习中的品德经验,不仅促进了人性的内化,也为转化为生活品德提供了基础。因此,师范通过提供机会,让修炼者通过提问进行自我反思和内省,从而发挥了促进修炼者体验和转化实践品德的作用。

(4) 实践品德的实践

学到实践品德是一个过程,旨在为修炼者提供具体机会,在跆拳道的环境中理解、应用,并拥有自己的实践品德。这被认为是为人性发展习惯化实践品德的过程。

第一步是创造一个可以刻意练习实践品德的情境。例如,在教导忍耐相关的情绪控制时,师范可以通过使用冥想引导三次深呼吸。

在我们开始认真练习之前, 让我们先冥想片刻。暂时闭上眼睛, 专注于你的呼吸。正确的呼吸会使你的心情平静, 帮助你在执行技术时有效地使用你的力量。在呼吸时, 感受你的身体感觉的细微变化。当紧张感被缓解, 肌肉放松, 你将达到练习的最佳状态。

这是有意的创造了教授品德的情景。在这种情况下,刻意练习与内化和提高新技术有很大的关系。因此,为修炼者提供应用实践品德机会的师范,是在发展实践品德并将其转移到日常生活中的关键帮手。

第二步是为修炼者提供一个机会,回顾或反思应用于跆拳道环境中的实践品德。通过冥想、小组讨论和开放式问题,师范可以为修炼者提供回忆实践品德的机会。例如,如果修炼者在练习中已经理解并练习了保持专注,师范可以使用开放式问题,让修炼者回忆这种专注力。开放式问题的例子包括,"当你思考你的目标并深呼吸后试图击破时,你感觉如何?","为什么在击破之前盯着目标并深呼吸如此重要?"以及"在跆拳道修炼中,你还需要什么才能专注?"

这些问题为修炼者提供了一个机会,分享其为完成并成功执行某一特定技术所采取的步骤。通过理解和判断,以及练习和评估等行为过程的反复内化过程,就可以获得人性。在跆拳道的练习过程中,无论技术是否被学会,只有通过理解、回忆和反思品德,才有可能习得人性特质。因此,师范应该为修炼者提供体验和反思实践品德的机会。

人性发展教学的第3步和第4步包括基于第1步和第2步,发展跆拳道中实践品德的具体和明确过程。然而,为了将在跆拳道中学到的身体价值和实践品德转移到日常生活中的人性,这些实践品德必须不仅应用于跆拳道道馆,而且应用于道馆外的生活。

(5) 将实践品德联系到生活

将实践品德用于人性发展被定义为在跆拳道道馆之外的环境, 如家庭、工作和社会中, 明确且有意地实践理想的人性特质的努力。师范应该在跆拳道道馆与修炼者讨论并解释实践品德的重要性及其用途。这些讨论帮助后者认识到, 在跆拳道中学到的人性特质可以同样应用于其他环境。

这些讨论有助于促进在生活中应用实践品德, 其内容涉及到确定在哪些情况下, 修炼者可以在日常生活中转移或使用其在跆拳道中学到的社交技巧。然而, 我们不能肯定在跆拳道中学到的品德会自动地以相似的方式被转移或利用。因此, 师范应该注意修炼者在生活中应用其人性价值的机会。因此, 修炼者应该设定一个目标, 有意识地梳理其在跆拳道中的优点, 然后思考如何通过内化过程将发现的优点融入到日常生活中, 并通过练习使之成为习惯。

与人性发展三阶段相似, 开放式问题是修炼者将实践品德从跆拳道道馆转移到日常生活的重要环节。"将实践品德转移到你的生活中对你意味着什么?","有哪些实践品德可以从跆拳道转移到生活中?" 以及 "为什么将实践品德转移到你的生活中对你很重要?" 这些都是较好的开放式问题。师范应该强调跆拳道和其他环境之间的联系, 鼓励学生理解在跆拳道环境中成功践行的实践品德同样可以应用于其他环境。

师范通过要求修炼者理解、解释并询问其品德转移来促进修炼者使用实践品德的能力。因此, 师范在人性发展教育中始终占据着最重要的位置。

此外, 师范应有意识地提高修炼者的自信心, 以便让其能够在日常生活中作为社交技巧来利用实践品德进行人性发展。师范可以通过以下努力来促进修炼者转移品德。首先, 师范应该支持将实践品德作为社交技巧使用。其次, 师范应该对尝试利用品德的行为给予具体和积极的反馈。第三, 师范应该把未能成功使用品德的情况作为重要的学习机会。第四, 师范应该帮助修炼者设定在不同环境中使用品德的实际目标。

来自师范的适当社会支持对修炼者将人性技巧转移到日常生活有积极影响。因此, 师范应该努力提高修炼者的自信心。这些努力促进了修炼者转移实践品德; 因此, 师范应该通过言语劝导或转移谈话为修炼者提供自我反思的机会。

(6) 将实践品德作为社交技巧使用

转移实践品德的具体方法是为修炼者创造机会, 让修炼者能够在跆拳道道馆以外的环境中将这些品德转化为社交技巧并加以运用。为了使在跆拳道中学到的实践品德能够在现实生活中成功使用, 师范必须根据修炼者的年龄, 与父母、教师和当地社区合作, 依据社会规范建立一个连接网。建议创造一个让青少年修炼者能够将实践品德作为社交技巧使用的情境。如果师范与跆拳道道馆、学校和社区形成相互关联的合作伙伴关系, 修炼者就可以更多地接触跆拳道之外的环境, 有机会将实践品德作为社交技巧使用。

师范应该做出以下努力, 以便将实践品德作为社交技巧使用。首先, 师范应与教师、家长和社区领导分享其对使用实践品德的教学理念。其次, 师范应邀请一些曾受益于同类项目的高级修炼者, 与当前的修炼者分享其使用实践品德的经验。师范还可以告诉修炼者如何使用实践品德。第三, 师范应为修炼者提供参与社区志愿活动或担当领导角色(例如, 在跆拳道道馆做志愿者工作)的机会。与生活中各种情境的其他教育者和指导者建立关系的师范, 可以帮助修炼者扩大自己的社交网络, 增强其信心, 助其在跆拳道之外的环境中成功使用实践品德。跆拳道修炼的目的是在掌握技术的过程中培养良好的身心习惯。通过在跆拳道道馆中反复成功地应用技术, 修炼者可以将实践品德推广为社交技巧。这使其有能力将这些价值观在道馆以外的环境作为社交技巧使用。因此, 师范应为修炼者提供各种机会, 以将实践品德与社交技巧相联系, 并将其作为实际的人性技巧来应用。

与人性发展教育的第四步相似, 师范创建一个将跆拳道的实践品德作为社交技巧使用的环境非常重要。为此, 必须确保建立一个连贯和系统的项目。一个高质量的项目帮助修炼者将实践品德应用于社交技巧。跆拳道课程提供了一个练习的氛围, 一个安全的练习环境, 师范对实践品德的理解和应用, 将这些品德内化为社交技巧的过程, 以及利用实践品德的动机和机会。跆拳道课程是通过跆拳道修炼发展人性并将人性品德作为社交技巧联系到日常生活的关键元素。

附录1

人性表

礼仪

正直的内心和行为

TAEKWONDC

正直的内心和行为
礼仪

定义

· 理解自我, 修养自己的心性和行为, 以能够向他人展示尊重

· 人们必须坚守的原则

实施目标

跆拳道道馆
· 正确穿着道服和佩戴道带。
· 遵守训练礼节。
· 问候其他修行生。

家庭
· 家庭成员说话时要注意倾听。
· 使用文雅的语言。
· 用语言表达你的感激之情(例如,"谢谢你")。
· 当客人离开时, 要在门口送其离开。

社会
· 初次见面时, 主动打招呼。
· 注意各种场合中的得体穿着。

给跆拳道师范的问题

· 当修炼者向你问候时, 你会欣然回应吗?

· 你是否正确穿着道服和佩戴道带?

· 你是否使用文雅的语言?

忍耐

克服困难的力量

克服困难的力量
忍耐

定义

- 坚持克服困难时期的力量
- 控制和管理你的心态

实施目标

跆拳道道馆
- 反复练习某个技术或动作。
- 坚持练习对你来说困难的动作。
- 坚持为实现你的目标而努力, 不放弃。

家庭
- 当你生气时, 停下来思考你为什么生气。
- 听别人说完, 然后再发表你的观点。
- 管理你的心态。

社会
- 认识到差异并有耐心。
- 坚持直到达到你的目标。
- 理性而非情绪化地回应。

给跆拳道师范的问题

- 你是以理性而非感性的方式对待你的修炼者的吗?
- 即使你的修炼者只有几个, 你也不放弃吗?
- 你是否在控制你的心态和行为?

专注

进入沉浸状态的纽带

TAEKWONDO

进入沉浸状态的纽带
专注

定义

- 看你需要看的, 听你需要听的
- 保持对你感兴趣的事物的专注的能力

实施目标

跆拳道道馆
- 在训练时理解训练的目的。
- 在练习动作时保持注意力。
- 专注于身心的和谐。

家庭
- 在交谈时放下你的手机。
- 关心家人。
- 表达对家人的爱。

社会
- 优先考虑最重要的事情。
- 在工作时设定一个详细的目标。
- 在面对面的交谈中不要分心(例如, 被你的智能手机分心)。

给跆拳道师范的问题

- 你是否关注所有的修炼者?
- 你是否为每次练习设定目标?
- 你在训练时只关注教学吗?(或者你在看手机?)

自信感

相信自己

相信自己
自信感

定义

- 相信你可以做成任何事情
- 相信你可以努力并完成新的事情

实施目标

跆拳道道馆
- 在练习中积累成功的经验。
- 挑战自己去尝试新事物。
- 让你的集中注意力的呼喊声音响亮且有力(有纪律)。

家庭
- 承认你的错误, 并首先道歉。
- 积极地表达自己。

社会
- 思考如何解决问题, 而不是想你不能解决它。
- 不怕尝试新事物。
- 努力克服你的缺点。

给跆拳道师范的问题

- 你是否以有力的声音和有力的动作进行教学?
- 你是否承认你的错误或错误行为?
- 你是否和你的修炼者一起挑战自己?

尊重 珍视和尊重

珍视和尊重
尊重

定义

- 珍视自己和他人
- 承认每个人各不相同

实施目标

跆拳道道馆
- 寻找并赞扬他人的优点。
- 理解他人的错误。

家庭
- 理解意见的差异。
- 模仿家庭成员的品德。
- 接受他人的观点。

社会
- 不要说可能引起不适的话。
- 接受他人的本色。
- 承认文化差异, 并愿意从中学习。

给跆拳道师范的问题

- 你是否寻找并赞扬你的修炼者的优点?
- 你是否确保自己不说可能让修炼者不舒服的话?
- 你是否接受修炼者的观点?

关爱

为他人着想

TAEKWONDO

为他人着想
关爱

定义

- 向他人让步
- 设身处地为他人着想(同理心)

实施目标

跆拳道道馆
- 在他人练习时不要制造干扰。
- 主动收拾练习用的工具。
- 在其他修炼者犯错误时给予鼓励。

家庭
- 在与他人交谈前了解对方的感受。
- 不做你的家人不喜欢的事情。

社会
- 慢下来帮助需要帮助的人。
- 务必在使用后清理干净。
- 设身处地为他人着想。

给跆拳道师范的问题

- 你是否试图理解你的修炼者?
- 你是否试图察觉你的修炼者的心情?
- 你在修炼者犯错误时是否给予鼓励?

信任

我们之间的联系

我们之间的联系
信任

定义

- 相互信任和依赖
- 信任连接两个人

实施目标

跆拳道道馆
- 训练不要迟到。
- 通过跆拳道训练互相了解。
- 信任你的师范和同伴。

家庭
- 真诚对待你的家人。
- 不要撒谎。

社会
- 准时。
- 不要背后议论他人。
- 归还你借的东西。

给跆拳道师范的问题

- 你是否准时开始和结束每次练习？
- 你是否信任你的修炼者？
- 你是否对你的修炼者撒谎？

TAEKWONDO

领导力

以身作则

以身作则
领导力

定义

- 通过领导并实现你的目标来树立榜样
- 与他人沟通并共同前进的能力

实施目标

跆拳道道馆
- 尽力成为他人的积极榜样。
- 带头营造积极的氛围。
- 与同伴合作。

家庭
- 尝试树立积极的榜样。
- 寻找让每个人都快乐的方法。

社会
- 寻找最佳的方式, 而不是固执地坚持自己的方式。
- 为了每个人的利益而工作。
- 在有不同观点的人之间进行调解, 以达成一致。

给跆拳道师范的问题

- 你是否正在尝试为他人树立好榜样?
- 你是否以身作则, 而不仅是口头教导?
- 你是否以适当的方式调解修炼者之间的冲突?

合作

共同努力的力量

共同努力的力量
合作

定义

- 共同努力实现目标
- 汇集团队成员的个人力量, 共同完成一项艰巨的工作

实施目标

跆拳道道馆
- 共同收拾训练道具。
- 在练习中和谐共处。
- 共同努力达成练习目标。

家庭
- 参与家务(整理、清洁、洗衣等)。
- 通过讨论, 共同决定家庭事务。

社会
- 根据每个人的角色分配工作。
- 在需要时互相帮助。
- 寻求更好的方法来实现目标。

给跆拳道师范的问题

- 你是否与修炼者一起收拾训练中使用的道具?
- 你是否与道馆的员工一起作为一个团队工作?
- 你是否在与员工深入讨论后才做出有关道馆的决定?

TAEKWONDO

乐于奉献

不遗余力

不遗余力
乐于奉献

定义

- 愿意全力以赴
- 以身作则, 尽己所能, 造福所有人

实施目标

跆拳道道馆
- 在道馆做志愿者。
- 即使你累了, 也要为同伴加油。
- 即使你累了, 也要尽你最大的努力。

家庭
- 自愿做家务。
- 对分配的任务尽力而为。

社会
- 努力为社会做贡献。
- 帮助有需要的人。
- 做志愿者工作。

给跆拳道师范的问题

- 即使你累了, 是否也会全力以赴地指导?
- 你是否为你的社区做志愿者工作?
- 你是否积极帮助需要帮助的修炼者?

责任

所有人的承诺

TAEKWONDO

所有人的承诺
责任

定义

- 确保完成你负责的任务
- 确保兑现你的承诺

实施目标

跆拳道道馆
- 完成与道带相符的品势与技术。
- 在道馆中遵守礼仪规范。
- 作为一名跆拳道修炼者, 使用适当、文雅的语言。

家庭
- 承认你的错误并为你的过错道歉。
- 履行你的承诺。
- 在完成你的职责时尽你最大的努力。

社会
- 努力纠正你的错误。
- 遵守社会规范。
- 今日事今日毕, 不要拖延。

给跆拳道师范的问题

- 你是否为自我发展而坚持不懈地努力?
- 你是否履行对你的修炼者的承诺?
- 你是否尽力纠正你的错误?

正义

诚实和公平

诚实和公平
正义

定义

- 能够分辨是非对错。
- 行事遵循公平正义的原则。

实施目标

跆拳道道馆
- 遵守道馆的规则。
- 以公正无私的态度对待所有的同伴。
- 公平竞争。

家庭
- 诚实对待你的家人，不说谎。
- 公平地在家庭成员之间分配事物。
- 避免偏袒。

社会
- 不做卑鄙的决定或行为。
- 不采用作弊的方式。
- 帮助有需要的人。

给跆拳道师范的问题

- 对待修炼者时是否有偏袒的表现？
- 你是否真诚地对待修炼者？
- 你是否采取作弊的方式？

附录2

跆拳道指导者行为守则

附录 **2** 跆拳道指导者行为守则

1 — 跆拳道指导者条例

跆拳道指导者条例是把跆拳道指导者的品德以可实践的条例方式表现出来。跆拳道指导者可以通过这些条例来提醒自己实践这些品德, 忠实地履行其神圣的职责。

跆拳道指导者条例

宽容	理解和宽恕,而不是责骂和批评。
心怀期望	在教学时不要急躁和不耐烦;要信任和有耐心。
荣誉	保持尊严和沉着,以跆拳道指导者的身份为荣。
以身作则	国家和社会至上,遵守法律,维护秩序。
关爱	致力于改善修炼者的权益和福祉。
尊重	不使用暴力、威胁或性骚扰语言。
公平	不歧视或偏袒;公平对待每个人。
责任	履行跆拳道指导者的职责和义务。
使命感	具有强烈的职业使命感,充满热情地教学。
献身	对修炼者尽职尽责,全心全意地教学。

跆拳道指导者的品德与跆拳道指导者的条例

2 — 跆拳道指导者的品德

跆拳道指导者的品德包括宽容、心怀期望、荣誉、以身作则、关爱、尊重、公平、责任、使命感和献身。这些品德源于跆拳道的五大品德：忍耐、勇气、礼仪、正义和奉献。宽容和心怀期望源于忍耐；荣誉和以身作则源于勇气；关爱和尊重源于礼仪；公平和责任源于正义；使命感和献身源于奉献。在众多与跆拳道五德相关的品德中，之所以选择这些品德，是因为它们既为传统社会的指导者所重视，也是现代社会的指导者所需要的，并且与跆拳道直接或间接相关。

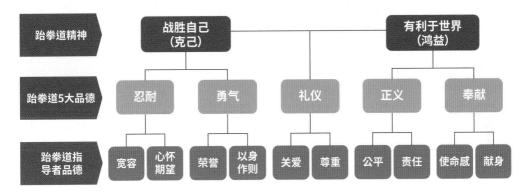

(1) 宽容

"宽容"源于跆拳道五大品德之一的"忍耐"。忍耐是在修炼过程中克服身体和心理限制的心理倾向。然而，从指导者的角度看，忍耐意味着耐心，指的是当修炼者说错话或做错事时，指导者展现出的宽容的态度。如果未成年修炼者的错误言行遭到指导者的责骂和批评，那么尚未完全成熟的修炼者会学到的是责骂、批评的态度，而不是认识到自己的错误。为了促进修炼者的成熟，指导者必须展现出理解、宽恕和宽容的态度，而不是责骂、批评的态度。

宽容是传统社会的指导者应具备的重要品德。它与仁（仁道）的修行法则——恕（宽恕）直接相关。在深深影响了传统社会的儒家思想中，仁被视为最高的品德。恕含有"宽恕"和"同情"的含义，是实现仁的一种方法。仁的含义是'己所不欲，勿施于人'这句话暗示了一种宽容的态度，即接受他人引起或与他人相关的不如意的事情。因此，朝鲜时代的学者丁若镛将恕解释为"像对待自己的感受一样对待他人的感受"，这就是宽容的定义。

在逐渐变为多元文化的现代社会，宽容也是人们看重的品德。由于这种多元文化性带来了各种基于宗教、种族、价值观和肤色差异的歧视问题，所以宽容变得尤其重要。歧视是宗教和种族冲突的直接原因。歧视和冲突根本上源于对差异的不宽容和无法接受。在此背景下，联合国教科文组织将11月16日定为国际宽容日，希望提高人们对这种品德的认识。在教育和治疗领域，宽容也被用作根治现代人类问题的一种途径。

今天，跆拳道已经发展成为一种全球文化，不仅在韩国，而且在世界各地都有人欣赏，成为了各种文化背景的人们参与的活动。跆拳道为来自不同宗教、文化、语言、信仰、肤色和习惯的人们提供了频繁的交流机会。在这种情况下，稍不注意就可能会使差异和区别引发歧视，而歧视可能会成为冲突的原因。为了避免这样的问题，跆拳道指导者必须具有宽容的态度，以此来承认并接受差异。

(2) 期待

"期待"源自跆拳道的五大品德之一——"忍耐"。从指导者的角度看，忍耐指的是在修炼者进步缓慢时不失去耐心，相信修炼者的成长潜力，并静待修炼者的成长。

心怀期待也是韩国传统社会所看重的品德。此外，在目的是培养具有高度学识和道德水平的绅士的教育传统社会中品德是一个非常重要的工具。

根据传统教育的教导，所有人都天生就对他人的困境有同情心，对他人有尊重或鄙视的情感，对不公有羞愧和憎恶的情绪，有判断是非的心。这四者被称为四端，是人类的四种天性，被比喻为初生的植物。当四端生长并结果实时，每一种果实都变成了一种品德，即仁、义、礼、智四种品德。"贤人"指的是具有所有这四种品德的人。传统社会的人性观念暗示所有的学习者通过勤学苦练和积累品德，都可以成为绅士。

也就是说，所有人都天生具有四端，但是如果不能精心培养它们，人就会走向邪恶，被感官因素所左右，成为小人。这种对人性的理解潜藏着一种期望，那就是只要我们用心去培育这四端，满足人的成长所需的基本条件，每个人都有可能朝向善良的方向发展。

这种期望是我们希望现代社会的跆拳道指导者拥有的一种品德。并非所有的修炼者在指导者的指导下都能持续提高自己的技术。虽然有些人能够有所进步，但总是有人停滞不前。当一个修炼者的技术提高没有达到指导者预期的水平时，指导者必须能够耐心等待。指导者必须对修炼者心怀期望，而不是对其失去耐心并加以责备。因此，指导者的期望态度对修炼者的成长至关重要。如果指导者对修炼者没有任何期望，修炼者便会真的在成长过程中遇到阻碍。如果修炼者的技术提高没有达到指导者的预期，指导者不应该对修炼者失去耐心或不停催促。指导者必须忍耐，相信修炼者无论多慢，都能成长为优秀的跆拳道修炼者。

(3) 荣誉

"荣誉"源于跆拳道的五大品德之一的"勇气"。勇气指的是在修炼过程中，不怕强大的对手或遇到的艰巨任务。从指导者的角度来看，有勇气就是不屈服于不合理的压迫或诱惑。指导者之所以能展示出这样的勇气，是因为珍视自己作为指导者的荣誉。如果指导者不珍视自己的荣誉，就会很容易屈服于不合理的外部压迫或诱惑。在这个意义上，荣誉可以被视为勇气的先决条件。

荣誉是传统社会的指导者的一种重要品德。新罗王朝的指导者团体 花郎，非常重视荣誉这一品德。花郎的教诫 "面对战争不退缩" 便充分展现了对于荣誉的重视。金凡父的《花郎史》生动地描绘了花郎如何在为国家、花郎和家族的荣誉而战斗至死的情景。对花郎来说，荣誉比自己生命更重要。

跆拳道指导者必须继承这一传统, 努力培养荣誉的美德, 并保持重视荣誉的生活方式。跆拳道指导者不仅仅是跆拳道技术的教师; 也是通过跆拳道培养人们具备合格人格的教育者, 是追求和实践道的准牧师。西方社会也认识到, 跟牧师一样, 跆拳道指导者过着苦行、专注、榜样的生活, 理应受到相应的对待。由于跆拳道指导者身兼教育者和准牧师的角色, 社会对其的期望是维持崇高的人性和声望, 就如同对教育者和牧师的期待一样。跆拳道指导者必须对修炼跆拳道感到骄傲, 珍视荣誉, 注意言行, 以免玷污这个职业的尊严和地位。

跆拳道师范以身作则

(4) 以身作则

"以身作则" 源于跆拳道的五大品德之一的 "勇气"。这个品德强调一种无私与耐心的道德理念, 愿意为了集体的利益, 毫不畏惧挑战和困难, 以及愿意身先士卒, 舍弃个人特权, 以身作则为公共利益做出牺牲的精神。

以身作则是传统韩国社会强调指导者应具备的品德。在朝鲜英祖时代的李泰佐大臣宣称, "如果你用身体教, 人们自然会跟随; 如果你用言语教, 人们会提出挑战", 因此, 即使在引导公众时, 也强调了以身作则的重要性。退溪李滉是另一位以身作则的指导者。他在工作和纳税方面都比别人积极。他从未拖欠税款, 而且总是比普通民众提前交税。当时, 高级别的家庭通常会拖欠或延迟交税, 但退溪不同。

他宣称他的母亲对他的人生产生了巨大影响。她虽然不识字, 但在做人的道理上, 却总是一个出色的榜样。这个事例雄辩地说明, 在父母教导孩子时, 行动比言辞更重要。在教导孩子、学生或下属时, 父母、老师或上级以身作则, 通过行动而不是用言辞或告诫, 这很重要。为了使教诲有效, 指导者必须通过自己的行动树立积极的榜样。

以身作则的品德对于教导儿童和青少年的跆拳道指导者来说至关重要。跆拳道指导者不仅要传授跆拳道技巧, 还要引导修炼者走向理想的生活方式。在引导人们的生活态度方面, 以身作则绝对是必要的。例如, 要教修炼者如何礼貌地向别人问好, 指导者首先必须礼貌地向修炼者问好。关于品德和生活中正确态度的指导, 如礼貌和孝道, 仅通过言辞难以奏效。指导者自己必须通过行动树立榜样。作为跆拳道修炼者, 跆拳道指导者必须履行被赋予的责任和职责, 在所有情况下都以身作则, 并成为修炼者在生活中的榜样。

凡事以身作则的跆拳道师范

(5) 关爱

"关爱" 源自 "礼仪", 这是跆拳道的五大品德之一。跆拳道修炼是增强身心的过程。通过这个过程获得力量后, 一个人可能会过分自豪, 有炫耀其力量的冲动。如果这种想法被付诸实践, 跆拳道瞬间就会变成一种暴力手段。暴力行为源于对他人不够关爱。关爱的人不对他人使用暴力, 总是礼貌地对待他人。从这个意义上讲, 关爱可以被看作是表达礼仪的一种方式。

在韩国传统社会中, 关爱是指导者应具备的品德。此类指导者认为仁是最大的品德。仁是 "爱人" 的意思。仁是两个人的象形文字, 代表的是 "人与人之间的感情", 这种感情就是爱。在这里, 爱并不是对人抽象和模糊的爱, 而是一个具体的概念: "不是让别人做我不想做的事", 而是 "让别人做我想做的事"。这种仁包含着 "基于爱人而关爱" 的含义。

关爱是跆拳道指导者必备的品德, 因为跆拳道修炼者之间的相互关爱是跆拳道修炼成功的必要条件。《标准韩国词典》将关爱定义为 "有帮助或照顾他人的心"。根据这个定义, 如果跆拳道指导者愿意帮助或照顾修炼者, 便符合关爱的定义; 否则, 就不能称为关爱他人的指导者。跆拳道的教学是指导者与修炼者之间持续的互动过程, 但如果在这个过程中缺乏关爱, 本应是互动的教学就会变成一条单行道。如果教学变成单行道, 修炼者就会对修炼失去兴趣。为了使跆拳道修炼成功, 指导者必须始终考虑到修炼者的情况, 反过来, 修炼者也应该以关爱的态度回应。跆拳道指导者必须充分认识到关爱的互惠性, 应站在修炼者的角度去感受和思考, 理解修炼者的需求, 并为提高修炼者的权益和福祉而努力。

(6) 尊重

"尊重" 源自跆拳道五大品德之一的 "礼仪"。礼仪指的是一个在言谈或行为等方面表示尊重某个个人或团体的方式。对于跆拳道修炼者来说, 礼仪是指对指导者、上级或下级, 以及同事的尊重态度。然而, 对于跆拳道指导者来说, 礼仪是指对修炼者的尊重。

尊重他人必须是表面上彬彬有礼态度的基础。没有尊重的礼仪只不过是表面功夫。因此, 可以说尊重他人是礼仪的本质特征。例如, 尽孝可能被认为是一种礼仪, 但如果一个人对父母没有尊重, 那么就不能再被视为尽孝。因此, 尊重是表面的礼仪被视为真正礼仪的前提条件。尊重他人是包括对他人评价认知的情感。如果一个人把另一个人评价为有价值, 就会产生尊重、钦佩、崇敬和礼貌的情感; 如果一个人把另一个人评价为无价值, 就会产生贬低、漠视、仇恨和轻蔑的情感。

尊重是人类为了保护生命而发展出的基本道德情感。我们必须努力保护和扩大那种天生的尊重感。在传统社会中, 人们珍视的尊重类型是辞让之心 (礼让) 和恭敬 (崇敬) 之心。辞是指拒绝接受的东西, 让是指向他人让步。恭是尊重他人的价值, 敬是审视和评价自己的身心。辞让之心和恭敬之心都是指在考虑他人的情况时, 对自己的言辞持谨慎态度的尊重。

此外, 资深的跆拳道师范认为尊重是跆拳道指导者必须具备的品德。第一代跆拳道师范田祥燮, 将 "管理身体" (Giwi)、"管理道馆" (Gwanwi) 和 "管理国家" (Gukwi) 这几个词列为官方口号。管理身体是指照顾自己, 管理道馆是指照顾所属的道馆 (或团体), 管理国家是指照顾国家。这里的 "照顾" 意味着尊重。也就是说, 田祥燮强调通过跆拳道的实践来培养自尊, 尊重道馆和尊重国家。松武馆的馆长卢秉直也把礼仪和尊重作为他的五个官方口号之一, 因为他认识到尊重他人是礼仪的基础。

尊重修炼者是跆拳道教学的前提。如果跆拳道指导者不尊重其正在教导的修炼者, 就是自欺欺人。优秀的跆拳道指导者必须对其修炼者有以下的信念: 相信其具备为人的尊严, 相信其为人的主体性, 相信其成长潜力。如果跆拳道指导者有这些信念, 就会尊重修炼者, 而带着这种态度, 跆拳道指导者将会全身心地投入到修炼者的训练中。尊重修炼者意味着尊重其观点, 承认其是独立的行动者, 认识到其是自己命运的主体, 尊重其感受, 以及尊重其世界观和价值观。在尊重修炼者的过程中, 跆拳道指导者必须始终注意自己语言、行为和服装的礼仪。此外, 指导者不得使用暴力的言辞或行为, 并且必须以礼仪对待修炼者。

(7) 公平

"公平" 源于跆拳道的五大品德之一的 "正义"。正义被理解为分配正义, 即每个人都能得到其应得的东西。在这个意义上, 平等和公平被强调为正义的本质。平等意味着平衡; 它是一种强调差异的概念。公平意味着公正的待遇, 每个人都被平等对待并获得平等的机会; 它是一种强调平等的概念。

在传统的韩国社会, 因为歧视的普遍存在, 公平并不是一个受欢迎的品德。然而, 朝鲜王朝的学者丁若镛关注的是人们生活、财产和地位的不平等和不公正问题, 并努力寻找解决办法。丁若镛关注的问题包括由于对仆人的地位产生的不平等问题, 由于人们受个人关系影响而破坏公平的问题, 以及由于处理财产过程和与国王相关事宜的法律应用问题而产生的公平问题。在朝鲜王朝, 人们普遍重视得到邻居的认可, 但丁若镛对这种依附性的实践所导致的不公和侵犯人权问题表示了担忧。丁若镛还强调, 指导者不应受个人情感的偏见影响, 应公平对待所有事务。

公平在现代社会中得到强调, 自由和平等的意识形态是现代社会的基石。公平的破坏被视为严重的社会问题, 特别是当公共官员和教育指导者有偏袒或不公的行为时。政府和公民团体对高级公务员的任人唯亲或不公行为非常敏感, 正在进行法律、制度和行政方面的努力, 以改进相关的做法。

公平是跆拳道指导者们迫切需要的一种品德, 这些指导者可以分为在道馆教学的师范、负责教授专业运动员像教练和主教练这样的竞赛指导者，还有监督级别考试和升段考试的裁判，比赛裁判，以及在跆拳道相关组织中负责行政工作的行政教练员。公平是所有类型的跆拳道指导者必需的品德。培训指导者和竞赛指导者不应根据修炼者或运动员的宗教、肤色、信仰、性别、外貌或喜好进行歧视或偏袒。指导者必须平等对待所有人。审查委员和审查委员在评判考试对象的技术或运动员的优秀程度时，必须应用同样的标准。行政指导者也必须公平地处理其职责。

(8) 责任

　　"责任"源于跆拳道的五大品德之一——"正义"。责任是"必须完成的任务"和"承担"两个概念的结合。也就是说，责任意味着忠实地履行托付给自己的角色、任务和职责。这也被称为角色责任。我们每个人都被赋予了一个或多个角色，比如父母、孩子、教师、学生、朋友、同事。当我们忠实地完成与这些角色相关的任务和职责——也就是，当我们忠实于我们的角色责任时——我们的社会将朝着健康和良好的方向发展。同样地，责任意味着在考虑了后果后，作出决定或采取对所有人都有利的行动。这被称为行动责任。

　　行动责任是现代社会中非常重要的一种品德。当政治家、企业家、司法人员、教育工作者等在各自领域履行自己的角色和职责时，就会产生相互信任，并建立社会秩序。只有我们人类才能承担责任，这是我们享受自由意志的代价。

跆拳道指导者在教学过程中尽其所能

人们根据自由意志自由地做出决定并采取行动，但必须为自己的决定和行动负责。然而，我们现代人有时即使预见到自己行为的负面后果，也会表现得不负责任，导致环境污染和生态危机。在这种背景下，伦理学家们声称责任是这个环境危机时代最需要的品德。因此，世界各地的许多国家都在强调在青少年人性教育中责任的重要性。例如，韩国的人性教育推进法规定，责任是人性教育的八个核心价值之一。

责任也是跆拳道指导者必须具备的一种品德。指导者既是跆拳道世界的代表，又是儿童和青少年的教育者，还是公民社会的成员。因此，指导者有责任忠实地履行跆拳道从业者、教育工作者和公民的职责。此外，跆拳道指导者也有责任在充分考虑自己的行为将对青少年修炼者带来什么样的影响后，再进行言行。

(9) 使命感

"使命感"源自跆拳道五大品德之一的"奉献"。奉献被定义为"为了国家、社会或他人,忽视自身需求,尽己所能",这是离不开使命感的。从这个意义上说,拥有使命感是具备奉献精神这种品德的前提。

在韩国传统社会中,使命感对于指导者来说是一种重要的品德。构成传统韩国社会领导阶层的贵族们的主要任务是修身,即心地善良并做正确的事。修身指的是阅读经文并建立个人品德。贵族们致力于修身,带着志向和使命感,不仅为了完善自己的个性,更为了治理世界。对于有着教授跆拳道任务的跆拳道指导者来说,拥有使命感也是一种必要的品德。人是工作的动物,这意味着我们必然要工作。我们大部分的成年生活都在工作,我们称之为"就业"。就业可以是谋生的手段,也可以是一种使命。如果我们的就业只是谋生的手段,我们会出于义务感机械地重复工作,在这个过程中,我们会感到的负担和痛苦多于快乐。然而,如果我们相信我们的就业是我们的使命,并带着使命感投入其中,那么工作会让我们感到更多的是满足而不是负担,我们的工作将成为我们生活中的意义和快乐的源泉。

跆拳道指导者对修炼的热情和使命感

跆拳道指导者必须将其工作视为一种使命,而不仅仅是谋生的手段。只有这样,指导者才会在工作中感受到使命感。如果指导者在没有使命感的情况下机械地教授跆拳道,便只会带着一种义务感工作。这样的任务将变得繁重和乏味。更重要的是,跆拳道指导者在其工作中必须有使命感,因为指导者的工作涉及到人的培养。

跆拳道指导者是将儿童和青少年培养成理想人格的教育者。如果跆拳道指导者只将其工作视为谋生的手段,那么跆拳道的练习就只是一种义务,指导者将机械地重复练习。然而,如果指导者相信其所做的是帮助一个年轻人成长,开发其潜力,走向有意义的人生,最终为我们的国家、人民和全人类的发展作出贡献,其工作肯定会充满成就感,并成为其生活的快乐之源。作为专业的跆拳道修炼者,跆拳道指导者必须用一种使命感影响修炼者,这个使命就是通过传播跆拳道来造福世界。

(10) 献身

"献身"这一概念源于跆拳道五大品德之一的"奉献"。奉献意味着"为了某个人,不考虑自己的利益,全心全意地付出自己或努力"。

在传统的韩国社会中,奉献是一个被高度强调的品德,人们认为家庭、地域和国家社会的优先地位超过了个人的自由和权利。在强调个人对社区献身的传统品德中,孝 (孝顺) 和忠 (忠诚) 尤为重要。孝强调儿童对父母的献身,忠强调臣民和其他人对国王的献身。在现代社会,不同于传统社会,个人的自由和平等得到强调。然而，孝和忠仍然是重要的品德，只是对孝和忠的传统和现代解释之间存在差异。

在传统的孝道概念中，孝道是单向的；孩子们在父母在世时尊重并供养父母，父母过世后为父母进行祭祀。相反，现代的孝是相互的，包括父母对孩子的爱。现代的孝道观念强调家庭伦理作为平等的关系，在这种关系中，孩子们得到良好的养育，并表达对父母的爱和善良的感激之情。

与强调对国王单方面忠诚的传统忠不同，现代的忠指的是对国家的爱国主义。对于现代人来说，爱国主义意味着努力实现"没有战争的和平"和"多数人的幸福最大值"。在个人主义日益强化，社区感逐渐削弱的现代社会中，对所属社区的献身，如对家庭或国家，是特别必要的品德。献身是创建任何形式的社区的重要因素。

跆拳道师范献身于修炼者的培训

献身也是跆拳道指导者的重要品德，可以分为对跆拳道的献身、对指导者角色的献身和对修炼者的献身。对跆拳道的献身指的是每一位修炼者都有决心在心理上将自己与跆拳道所尊崇的目标和价值观保持一致，并努力实现它们。对指导者角色的献身指的是愿意继续维持其跆拳道指导者的身份，并超越个人利益，专注于所承担的教育者的角色。跆拳道指导者致力于其指导者角色，不是因为没有其他选择，也不是因为那是其迄今为止一直在做的事情，而是因为指导者相信那个职位是其生活的使命。对修炼者的献身指的是无论白天还是夜晚，都愿意并热情地投入到对修炼者的指导中。对修炼者有献身精神的指导者会为了更好地引导修炼者，不断自我提升，并将所拥有的一切都奉献给教学。

3 __ 跆拳道指导者守则

指导者守则是一份正式的文件, 概述了规范某一特定群体成员行为的道德标准。为了让跆拳道指导者履行其伦理责任, 其作为专业人士的伦理必须得到明确。为此, 这份指导者守则有助于为跆拳道指导者建立道德标准。

第一章 一般规定

第1条 (宗旨)。跆拳道以 "克己和弘益" (克制自我、造福世界) 的精神在全球传播, 为人类的健康和幸福做出贡献。本守则的建立, 旨在为跆拳道指导者提供其可以记住并在日常生活和教学中实践的行为道德标准, 以继承和进一步发展跆拳道的这一传统。

第2条 (术语的定义)。本守则中使用的术语定义如下。
① "跆拳道指导者" 指的是竞赛指导者、师范、审查委员和裁判。
② "竞赛指导者" 指的是带领跆拳道队伍或团体的教练、主任和负责人。
③ "师范" 指的是从国技院获得许可证的一级、二级或三级师范。
④ "审查委员" 指的是具有一定资格的一级、二级或三级级别或段位审查委员。
⑤ "裁判" 指的是具有一定资格的一级、二级或三级世界跆拳道hanmadang裁判、竞技裁判和品势裁判。

第3条 (适用范围)。本守则是以在道馆教授跆拳道的教练员或馆长为中心制定的。然而, 由于像领导跆拳道团或队的教练·主教练·团长等、馆长等的竞赛指导者, 以及判断比赛或考试的审查委员和裁判, 以及所有在跆拳道相关组织工作的高管、员工和其他人员也被视为广义上的跆拳道指导者, 所以本守则也广泛适用于以上人员。

第4条 (遵守的义务和责任)
① 跆拳道指导者和其他相关人员必须充分了解并遵守本守则。因此, 如果违反规定, 违反者将被追究责任。
② 跆拳道相关组织的领导和高管以及各部门的负责人有责任鼓励、管理和监督其管辖范围内的跆拳道指导者和相关人员遵守本守则。

第二章 行为守则

第5条 (对跆拳道的责任: 参与修炼和传播跆拳道的责任)
① 指导者必须有继承跆拳道传统并传递给年轻一代, 以促进人类的健康和幸福的使命感。
② 指导者必须通过一生诚挚地修炼跆拳道并展示其优势, 激励他人参与跆拳道的修炼。
③ 指导者必须努力保护跆拳道, 防止可能破坏其价值的系统性腐败。

第6条 (对修炼者的责任)

① 指导者在任何情况下都不得使用暴力或恐吓, 不得使用侮辱性语言, 也不得以可能导致性羞辱的方式讲话或行动。

② 指导者不得因血缘、地域主义、学校关系、性别、社会阶层、种族、宗教、残障或偏好等原因歧视修炼者。

③ 当修炼者做错事时, 指导者应理解和宽恕, 而不是责备或批评, 应引导修炼者走上正确的道路。

④ 当修炼者的技术没有达到指导者的期望时, 指导者不应急于求成, 而应以耐心和对未来的信心来指导修炼者。

⑤ 指导者必须特别注意安全和保护, 以免修炼者在练习过程中损害健康。

第7条 (指导者的道德责任: 维护其尊严的责任)

① 指导者代表跆拳道, 因此必须维护其尊严和地位。在任何情况下, 指导者都不得说或做任何可能损害自己荣誉或跆拳道荣誉的事。

② 指导者不应屈服于不适当的外部压力或诱惑, 必须根据原则和信念以公平和透明的方式开展工作。

③ 指导者必须记住, 自己的每一举动都会为修炼者树立榜样, 自己在修炼者面前的言行和穿着必须特别谨慎。

第8条 (专业责任)

① 指导者必须规划和实施能够平衡发展修炼者身心的修炼计划。

② 指导者必须努力获取、保持和进一步发展其进行跆拳道教学所需的实践和教学技术。

③ 指导者不仅要努力获取实践技术, 还要学习与跆拳道的历史、传统和文化相关的人文知识。

④ 指导者必须积极参加各种补充教育活动, 以持续追求自我发展。

第9条 (对社会的责任)

① 指导者必须清楚了解社会的进步情况, 并且其教学必须反映社会不断变化的需求。

② 指导者必须通过各种志愿者活动, 将其从跆拳道中所获得的回馈给社会, 以促进本地社区的发展。

③ 作为公民社会的一员, 指导者必须尊重其国家和社会, 并且必须在遵守法律和维护秩序方面堪为表率。

第三章誓言

第10条(誓言)

作为一名跆拳道指导者, 我承诺如下:

作为一名跆拳道指导者, 我承诺充分了解指导者守则中规定的条款, 并在日常生活和教学中严格遵守。如果违反规定, 我承诺愿意接受相关组织施加的任何限制或惩罚。

日期: 职位:

姓名: (签名)

参考文献

韩国学中央研究院. 韩国文化百科全书. http://encykorea.aks.ac.kr

韩国学中央研究院. 韩国地方文化百科全书. http://www.grandculture.net

安勇圭 (2006年). 跆拳道探索与逻辑. 大韩媒体.

裴俊秀, 林泰熙, 张昌勇 (2019年). 探讨跆拳道生活方式教育模式. 韩国体育与运动心理学杂志, 30(1), 81-91.

崔洪熙 (1959年). 跆拳道教本. 圣和文化公司.

崔锡男 (1955年). 拳术教本. 东西文化公司.

崔永年 (1925年). 海东竹枝.

赵成均, 李在弼 (2007年). 跆跟. 国家文化遗产研究所.

Corliss Bean, Sara Kramers, Tanya Forneris & Martin Camiré (2018年). 生活技术发展和转移的隐性/显性连续性. Quest, 70(4), 456-470.

都基贤 (2007年). 跆拳, 我们的武术. 东才武术新闻. http://www.mooye.net.

国立庆州博物馆. https://gyeongju.museum.go.kr

韩桥 (1598年). 武术报告.

许仁旭 (2008年). 从起源角度看跆拳道形成历史. 韩国学术信息.

Hideo Hatta (2017年). 使用乳酸进行运动训练. 生命科学.

洪润基 (2012年). 韩国马文化是日本文化的根源. 汉纽里媒体.

黄琦 (1949年). 花手道教本. 朝鲜文化教育出版社.

黄琦 (1958年). 唐手道教本. 鸡龙文化公司.

全浩泰 (2012年). 高句丽古墓壁画研究之旅. 普伦历史.

郑顺天 (2018年). 跆拳道走向朝鲜. 汉松媒体.

康基淑 (2001年). 半个世纪的跆拳道: 人物与历史. 韩国体育促进基金会.

康成哲 (2015年). 跆拳道生物力学. Anivic.

康元植, 李庆明 (2002年). 跆拳道历史. Sanga.

金凡父 (1948年). 花郎外交.

金山虎 (2011年). 手搏、空手道和跆拳道. Mookas.

金永玉 (2013年). 跆拳道哲学构成原理. Tongnamu.

金永顺 (2011年). 通过邮票看跆拳道历史. Sanga.

韩国创意内容机构. 文化内容网. https://www.culturecontent.com/main.do

大韩跆拳道协会 (1971-2020年).跆拳道杂志. https://www.koreataekwondo.co.kr/d007

大韩跆拳道协会 (1972年). 跆拳道教本: 品势篇.

大韩跆拳道协会 (2012年). 大韩跆拳道协会五十年历史.

大韩跆拳道协会 (2013年). 大韩跆拳道协会跆拳道人性教育. Anivic.

国技院 (1987年). 国技跆拳道教本. 三凤出版社.

国技院 (2005年). 跆拳道教本. 五星图书.

国技院 (2006年). 跆拳道历史: 心灵研究.

国技院 (2008年). 跆拳道技术发展研究.

国技院 (2009年). 关于建立跆拳道技术动作运动学原理的研究.

国技院 (2009年). 关于跆拳道仪式发展的研究.

国技院 (2010年). 关于跆拳道仪式规则的研究.

国技院 (2010年). 跆拳道词汇表.

国技院 (2011年). 发展新的品势以增强世界跆拳道地位的研究.

国技院 (2011年). 发展世界跆拳道标准训练指南的研究.

国技院 (2011年). 跆拳道修炼者礼节指南.

国技院 (2012年). 国技院四十年历史.

国技院 (2012年). 关于跆拳道身份认同的研究.

国技院 (2012年). 世界跆拳道协会基础教本: 跆拳道与人文, 社会科学, 自然科学, 技术, 奥林匹克.

国技院 (2013年). 编写跆拳道对拆教本的研究.

国技院 (2014年). 2013年跆拳道教育白皮书.

国技院 (2014年). 关于跆拳道九大流派精神和现有精神的研究与评论.

国技院 (2014年). 关于跆拳道训练的精神价值的研究.

国技院 (2014年). 关于恢复跆拳道旧品势原始形态的研究.

国技院 (2014年). 为确立跆拳道身份认同而对传统武术进行的研究.

国技院 (2014年). 通过分析跆拳道技术的结构和系统进行的原始技术发展的第一阶段研究.

国技院 (2014年). 跆拳道教本: 为"品势"和"对拆"开发内容.

国技院 (2015年). 跆拳道九大流派的历史书籍. 跆拳道师圣邀请项目.

国技院 (2015年). 关于跆拳道精神体系的研究.

国技院 (2015年). 关于跆拳道原始技术发展的第二阶段研究, 基础和品势版, 对拆版, 击破指南书.

国技院 (2016年). 关于跆拳道身份认同的研究: 历史.

国技院 (2016年). 关于改进跆拳道功能品势的计划的研究: 针对老年人和肥胖者.

国技院 (2016年). 跆拳道教本: 第1卷基础和品势, 第2卷对拆, 第3卷护身武术.

国技院 (2017年). 单一的道路走过70年: 任雄奎为现代跆拳道奠定了基础.

国技院 (2017年). 全球化的跆拳道品势项目: 有段成年人品势. 新品势 (挑战 (himchari), 新星 (saebyul), 腾飞 (nareusya), 飞踢 (bigak)).

国技院 (2017年). 建立和传播跆拳道击破技术词汇表的措施.

国技院 (2017年). 跆拳道击破技术词汇表.

国技院 (2017年). 跆拳道教本: 护身武术.

国技院 (2018年). 关于国技院考试制度的综合研究.

国技院 (2018年). 跆拳道制服的发展.

国技院 (2018年). 编写跆拳道教本的专家研讨会和在线意见调查研究.

国技院 (2018年). 金殷勇: 建立跆拳道并指挥世界.

国技院 (2018年). 跆拳道教育白皮书.

国技院 (2019年). 跆拳道术语词典.

国技院 (2020年). 关于跆拳道精神的研究.

国技院 (2020年). 跆拳道教本编写的初步研究.

国技院 (2021年). 设计跆拳道教本编写的研究.

国技院 (2021年). 李钟宇, 现代跆拳道的综合建筑师.

韩国首尔大学奎章阁韩国学研究院, 韩国学研究员. https://kyu.snu.ac.kr

李昌熙 (2010年). 跆拳道的现代历史和新争议. Sanga.

李德一, 李熙根 (2000年). 韩国历史的谜团. Kim Youngsa.

李德武, 朴济家, 白东洙 (1790年). 武术书.

李浩成 (2007年). 韩国武术征服美洲大陆. 韩国学术信息.

李承休 (1287年). 皇帝韵纪.

李永福 (2001年). 国家武术跆跟研究. Hakminsa.

林泰熙 (2015年). 应用跆拳道人性项目的训练效果.国技院跆拳道研究, 6(1), 71-95.

林泰熙, 裴俊秀, 权旺中, 尹美顺 (2021年). 体育心理学. Park Youngsa.

林泰熙, 裴俊秀, 尹美顺, 金吉泰, 李允儿 (2017年). 通过跆拳道学习实际生活中的人性. Anivic.

林泰熙, 张长勇, 朴智润, 郭乐勋 (2015年). 基于东西方人性理论探讨跆拳道人性的意义和实践品德. 跆拳道杂志, 17(2), 121-140.

MOOKAS. https://mookas.com.

韩国国家民俗博物馆. 韩国民俗百科全书. https://folkency.nfm.go.kr/kr/main

韩国国家历史研究院. http://www.history.go.kr

韩国国家图书馆. 韩国报纸档案. https://www.nl.go.kr/newspaper

Naver新闻库. https://newslibrary.naver.com

朴喆熙 (1957年). 破坏性的冲拳. Kang Deokwon.

朴钟宽 (1983年). 跆跟. 雪林出版社.

徐成元 (2016年). 理解跆拳道的历史和文化. Anivic.

宋炯锡 (2008年). 跆拳道历史新研究. 利文出版社.

Stewart Culin (1895年). 韩国的游戏. Youlhwadang.

跆拳道内容和媒体服务. http://www.tkdbox.com

跆拳道文化研究中心 (2011年).跆拳道术语词典. https://terms.naver.com/list.naver?cid=42879&categoryId=42879

跆拳道教官团 (1959年). 跆拳道教本. 韩国军事学院.

跆拳道报纸. http://www.tkdnews.com

跆拳道推广基金会 (2016年). 让跆拳道发光的人.

跆拳道时报. http://www.timestkd.com

尹光凤 (2003年). 韩国的玩具.

跆拳道教本第一卷: 跆拳道的理解

第一版印刷	2023年11月30日
编辑委员长	李銅燮(国技院院长)
总监	朴鍾範(国技院)

作者	宋亨錫(啓明大学)	金永善(延世大学)
	林泰熙(龙仁大学)	

专门委员	姜元植(国技院)	李奎鉉(国技院)
	郭基玉(国技院)	李鍾寬(国技院)
	李高範(国技院)	楊鎭芳(大韩跆拳道协会)
	安容奎(韩国体育大学)	丁局鉉(韩国体育大学)
	許建植(世界武艺大师委员会)	

项目经理	李美蓮(国技院)	
验收	方仁周(韩国体育大学)	金云龙(白石大学)
	南相奭(国技院)	

发行单位	国技院
地址	韩国首尔市江南区德黑兰路7街32号, 邮编06130
电话	+82-2-3469-0185
传真	+82-2-3469-0189
网站	research.kukkiwon.or.kr

编辑-印刷	Myungjin C&P Co.公司
插图	由金贞均插画, 人体插图由李泰真绘制
地址	韩国首尔市永登浦区京仁路82街3-4号, CenterPlus大厦616室
电话	+82-2-2164-3000
传真	+82-2-2164-3010
ISBN	979-11-91659-16-0 (94690)